读懂黄河

历史文脉传承 上

主　编　许　强　范宣梅　黄　寰

副主编　林汐璐　王　潇　杨　扬

编　写　谭怡君　肖　瑶　梁　芳　龚　翔　何成军　钟　萍
　　　　龙江兰　李玉超　李子易　李琪骑　姜慧芳　鲜奇林

希望出版社

图书在版编目（CIP）数据

读懂黄河·历史文脉传承. 上 / 许强著. —太原：希望出版社, 2024. 12
ISBN 978-7-5379-9294-7

Ⅰ. K928.42-49

中国国家版本馆CIP数据核字第20247B3X72号

图片代理：人民图片网

DUDONG HUANGHE . LISHI WENMAI CHUANCHUENG (SHANG)
读懂黄河·历史文脉传承（上）

出 版 人	王　琦
责任编辑	孙晓夏　张　平
复　　审	庹源雪
终　　审	傅晓明
封面设计	王　蕾
责任印制	李　林　李世信

出版发行	希望出版社
地　　址	山西省太原市建设南路21号　邮编：030012
经　　销	新华书店
印　　刷	三河市恒彩印务有限公司
规　　格	720mm×1000mm　16K　印张：11
版　　次	2025年3月第1版
印　　次	2025年3月第1次印刷
印　　数	1—5100册
书　　号	ISBN 978-7-5379-9294-7
定　　价	52.80元

版权为本社独家所有，未经本社同意不得转载、摘编或复制

目录

前言 ································· 01

第一章　史前文明

黄河文明的萌芽 ························· 2

黄河畔的远古足迹 ······················· 8

火光中的石器时代 ······················· 11

石磨盘里的古老故事 ····················· 15

泥澄火炼丹砂染 ························· 20

仰韶彩陶耀千古 ························· 25

龙山黑陶留余韵 ························· 30

神农尝草开农耕 ························· 33

炎黄氏族启华夏 ………………………………………… 37

越过洪荒与林莽 ………………………………………… 42

第二章　夏商西周

黄河文明的形成 ………………………………………… 48

大禹治水始开国 ………………………………………… 52

盘庚迁殷稳家园 ………………………………………… 55

玄鸟降生开殷商 ………………………………………… 61

甲骨文中画意足 ………………………………………… 63

青铜灿烂鼎天下 ………………………………………… 69

周礼文明万世传 ………………………………………… 76

分封天下诸侯起 ………………………………………… 79

诗经风雅颂黄河 ………………………………………… 82

农耕文明愈繁荣 ………………………………………… 85

水利发展造福音 ………………………………………… 90

第三章　春秋战国秦汉

黄河文明的发展 ………………………………………… 96

铁犁牛耕创辉煌 ………………………………………… 100

百家争鸣气象新 ………………………………………… 103

千年水渠润关中……………………………………106
青铜纹饰映春秋……………………………………109
天下黄河富宁夏……………………………………114
纸墨飞舞传千年……………………………………119
青冢佳话美名扬……………………………………124
岩壁史话映古今……………………………………127
筑堤理渠兴水利……………………………………132

第四章　三国两晋南北朝

动荡中的繁荣………………………………………136
曹魏屯田兴农桑……………………………………138
刘徽算术启新篇……………………………………140
魏晋风骨竹林贤……………………………………143
孝文革新融华夏……………………………………149
石窟佛韵南北歌……………………………………153
古农智慧耀黄河……………………………………161
黄河地学里程碑……………………………………163

后　记 …………………………………………… 165

▲ 黄河风光

前言

黄河流域拥有丰富的史前文化。在人类进入文明史后相当长的历史时期内，黄河流域是一些朝代的都城所在，是全国的政治、经济、文化中心。因此，黄河流域，尤其是其中原地区，长期存在一种稳定的先进文化氛围，而这样的氛围产生的一系列文化产物，在中国乃至世界的文化史上都留下了光辉灿烂的笔墨。

具体而言，从旧石器时代到新石器时代，黄河先民经历了过弱小无力的蛮荒长夜，但他们同时学会了举起智慧的火把、利用身边的工具、团结族群，从而迈出了在自然里生存、发展的第一步，走进了黄河文化发展的白昼时分。这也是黄河流域一带能够最早进入文明社会的基础。

随后的夏商周时期是一个开创文明的时代，在黄河文明中占有重要地位。大禹建立的夏朝是原始社会向文明社会的过渡时期，是中国历史上第一个世袭制朝代，此后中国进入奴隶制社会。夏朝拥有"大禹治水"的传奇故事，原始农业的发展和手工业等的发展，为黄河流域的文明进程打下了坚实的基础。商朝十分信奉神灵，敬畏大自然，占卜成为一项日常活动，在此背景下，甲骨文主要用来占卜记事卜辞。西周灭商后定都于镐，奴隶社会发展到了顶峰，此时，社会生产得到发展，农业生产工具和生产技术得到改善，由于经济发展，人们的精神生活也更加丰富，中国首部诗歌总集《诗经》中收录的作品很多就是这一时期的。

随着历史的演变，黄河流域的文化在各民族的统一和融合中得到不断的丰富和发展。无论在古代科学技术体系奠基时期的春秋战国，还是古代科学技术体系形成时期的秦汉，黄河流域都有着极其重要的地位。从春秋战国到秦汉（公元前770年—公元220年），中国经过近千年的漫长岁月，实现了从分裂动荡走向太平盛世的宏伟转变。这期间伴随着改革、创新、交流与融合，无论是在经济、政治还是文化上，中华大地都有着十分显著的变化，这也为中华文明的传承奠定了坚实基础。

历史文脉传承（上）

汉朝后，中国历史进入三国两晋南北朝，期间政权更迭十分频繁。东汉末年，黄河流域战乱不停，社会动荡不安，但即使在动荡的时代背景下，黄河文明也大步向前迈进着，展现出独特的强大的生命力。

▲ 黄河风光

万里黄河奔涌不息,万年岁月转瞬即逝,但黄河所滋润过的土地和岁月所遗留的文化财富,却始终在中华大地上生生不息。翻开此书,即可领略到那些宝贵的黄河文化。

第一章　史前文明

黄河文明的萌芽

大约在243万年前，人类就居住在黄河流域。1961年发现于黄河中游山西省芮城县西侯度村的旧石器时代早期文化遗址"西侯度文化"，被测定为距今约243万年前，是中国已知最早的旧石器时代文化遗存之一。在西侯度遗址中出土的石器数量不少，种类甚多，如石片、石核等。出土的文化遗物中还有烧骨和切痕鹿角。种种迹象表明，西侯度的人类祖先早在两百多万年前就开始使用火和制造骨器。除此之外，考古发现在黄河流域有许多旧石器时代的文化遗址。在陕西蓝田发现了猿人下颌骨、牙齿和头盖骨化石，证明了"蓝田人"的存在。

大约七八千年前，黄河流域的先民们进入了氏族时期，随后逐渐完成了由母系氏族到父系氏族的演变。历史进入了新石器时代，其早期以发现于河南省的裴李岗文化为代表，中期以发现于河南省的仰韶文化为代表，晚期以发现于山东省的龙山文化为代表。新石器时代早期裴李岗

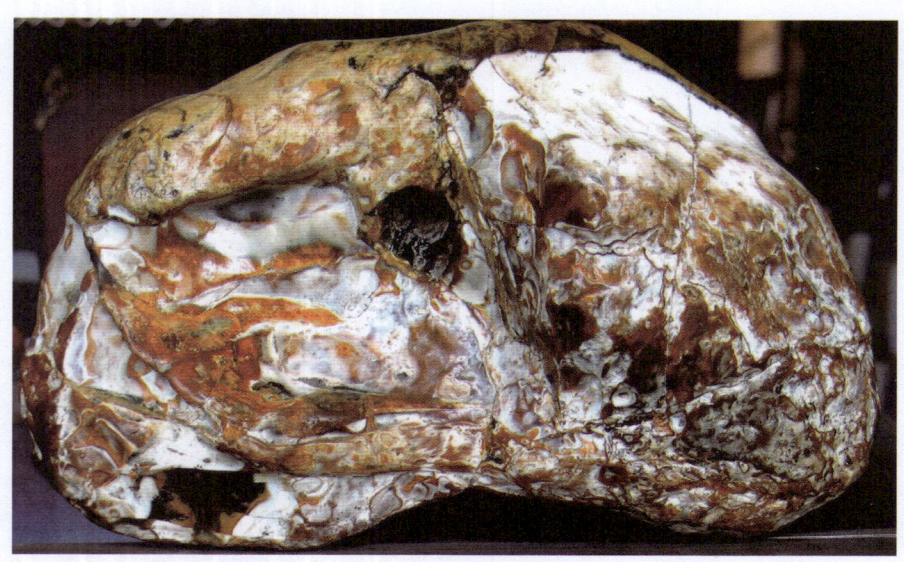

▲ 猿人头盖骨

文化遗址，让我们了解了氏族的起源和表现以及黄河流域刚刚诞生的集体文化的范围。新石器时代中期的仰韶文化，主要分布于黄河上中游地区，它在相对广泛的范围留下了遗址，显示出黄河流域先进文化的扩散和传播。晚期的龙山文化，主要分布于黄河中下游地区，此时黄河流域的氏族受气候变冷和族群战争的影响逐渐合并，使前期的黄河文化聚合、发展在一块较小的区域，浓缩成了精华。这些重要的文化遗址代表性地显示出黄河流域文化萌芽、发展的过程。

▲ 古铜器

旧石器时代中期、晚期之交出现的氏族，在新石器时代的前期和中期进入了繁荣阶段。黄河流域于是出现了氏族部落，他们之间发生了一系列兼并战争，如炎帝、黄帝诸部落联军在涿鹿大败蚩尤，从而完成了炎黄部落与蚩尤部落的融合，然后经过阪泉大战，黄帝打败了炎帝，基本上奠定了华夏族的基础，构成了华夏族的主干，这就是华夏文化的始源，也是中华民族文化的根基。传说中的尧、舜、禹及其部落活动中心也都在黄河流域，他们继续创造着黄河流域文化。

新石器时代黄河流域文化的进步和旧石器时代相比是一个飞跃，主要表现是生产能力的提高和艺术创作能力的加强。在生产方面，新石器时代火的利用更广；出现了铜器和制作精良的玉器；原始农业有了进步，有了原始的纺织和缝纫技术，妇女们剥取野麻纤维，用陶、石纺轮捻成细线织成布；原始建筑工艺有了提高；在黄土地带和地势高的地区，建造了半地穴式的房屋和原始地面建筑；最重要的是陶器的制作进入一个新时期。陶器的出现，不仅使液体得以储存，而且使人类有了煮熟食物的器具。这是人类在和大自然斗争中的一次划时代的发明创造。

在艺术创作方面，黄河流域出现了原始文字；还出现了原始绘画，它与最早的文字——象形文字如出一辙。黄河先民们开始注意天象的观测，用以定方位、定时间、定季节。同时还出现了原始音乐和舞蹈。紧接着，便产生了原始的宗教崇拜。黄河流域的各氏族都有自己的崇拜对象，或以某种植物，或以某种动物（真实存在的或幻想的神异动物），或以某种自然物作为本族的"族徽"，这就是"图腾"崇拜。同时也出现了

历史文脉传承 上

4

▼ 图腾柱

▲ 古代彩陶

所谓的"巫术",就是人们幻想中采用某些方法就能影响自然或影响他人的法术。稍后又出现了巫师们的祈祷、咒语、祭祀等活动。这些行为交织在一起,形成了原始的宗教。随后还出现了神话传说的流传,这是人们运用推理和想象力对自然界的一些现象解释的结果。如"后羿射日""夸父逐日""精卫填海"等神话,反映了远古时期黄河流域的先民们幻想战胜自然的幼稚、朴素的愿望。

第一章 史前文明

▲ 湖北荆门：漳河水库春意盎然

第一章 史前文明

历史文脉传承 上

两百多万年前的黄河边,猿人们就开始了他们的大冒险……

黄河畔的远古足迹

琪琪坐在宽宽的沙发上,晃着小脚丫,惬意地听爸爸唱着他那个时代的歌:"啊!黄河!你是中华民族的摇篮!五千年的古国文化,从你这儿发源……"

琪琪还小,没听过这首歌,他边认真听着边问:"爸爸,这是什么歌呀?"爸爸停下哼唱,回应他:"这是我们当时熟知的歌曲《黄河颂》。每

▼旧石器时代古人类洞穴遗址

当唱起这首歌,我都会沉浸在对黄河无限的赞美之中。你要记住,黄河是中华民族的母亲河,是中华文明的发祥地,还是中华民族精神与民族情感的象征。"

琪琪撇了撇嘴,说:"爸爸,您别当我什么都不知道,黄河的重要性我还是清楚的。"爸爸笑着摸摸他的头:"好呀,我们琪琪厉害着呢。不过,我觉得你肯定不知道黄河在什么时候就孕育出了我们的先祖。"

琪琪不服气了:"不就是你现在歌里唱的那样,五千年前先祖们就开始了我们的文化吗?我认真听着,记得可清楚了。"爸爸拍了拍琪琪的肩膀

> **知识点**
>
> 旧石器时代,以使用打制石器为标志的人类物质文明发展阶段,是考古学家提出来的一个时间区段概念。所谓石器时代,并不代表那个时候的人类只会使用石器。

▼ 新石器时代遗址

说:"中华文化五千年这个说法倒也没错,不过,早在两百万年以前的旧石器时代,我们的先祖就已经在黄河流域过着狩猎采集的生活。"琪琪一听,瞪大了眼睛,吸了口气:"两百万年前?真的吗?我觉得一万年前有人活着就很夸张了,现在您告诉我两百万年前那么久远的时候,黄河边上就有人了?"

爸爸自信地笑了:"哟,你不信啊?事实就是这样,远古时代我们的祖先就已经在黄河边上生活了。我这么说可是有考古学家的证据支持的。在黄河流域发现了2000多处原始村落的遗址,证明从旧石器时代开始,中华民族的先民就在黄河边繁衍生息。比如,考古学家发现在现在的山西省芮城县,早在243万年前就有西侯度猿人生活过。后来,蓝田猿人和大荔猿人也在黄河岸边捕鱼打猎,一代代地生活下去,为黄河文明的诞生打下了基础。他们的出现,就像是古老黄河文明的开场曲。"

琪琪听完后感叹道:"哇,原来真的很久很久以前,黄河边上就有人生活了。但是爸爸还叫他们是猿人,说他们在为文明的诞生努力,那他们当时肯定活得很辛苦吧,毕竟没有多少工具和经验,也没有什么规矩。"

爸爸点了点头,赞赏琪琪的敏锐,说:"当然很辛苦。想想看,我们现在幸福的生活背后,是多少人的智慧和努力换来的。幸运的是,两百万年前的人类虽然一无所有,但他们慢慢学会了利用两样东西:火和简单的工具。这样,他们就能在野兽环绕的环境中生存下来,逐渐发展出了今天的文化。"

琪琪好奇起来:"真的吗?哪两样东西这么神奇?"爸爸此时反而卖了个关子,不愿意讲了:"好啦,今天讲了这么多,爸爸也累了。明天咱们吃烧烤去,我再给你仔细讲讲。"琪琪的好奇心没有得到满足,本不开心,但听到明天有烧烤吃,他不再追问了。

> **知识点**
>
> 在中国最古老的传说里,就已经有了"构木为巢,以避群害"的"有巢氏"的说法,而"有巢氏"就处于旧石器时代中早期。在"巢居"时代,人类的居住生活方式较为简陋,那一时期的人类只能使用工具搭建简单的"巢居"。这些流传下来的传说,可以与考古发现互相佐证,让我们了解远古时期人类的生活。

火与石器，携手帮助我们的祖先开启文明的大门

火光中的石器时代

天气渐渐变冷了，爸爸兑现了他的承诺，带着琪琪去吃烧烤。琪琪紧紧盯着吱吱作响的烤串，看着那熊熊燃烧的火焰，他的小脑袋里突然冒出一个念头："爸爸，您昨天说的两样东西里有一样就是火吧？我学过燧人氏'钻木取火'的故事，感觉火对远古人类来说太重要了。"

正围在火炉旁舒服地打盹儿的爸爸笑了笑，缓缓说道："哟，我们琪琪真是太聪明了。早在旧石器时代，住在黄河附近的先民们就已经知道如何保存火种了。爸爸也不知道他们是怎么发现火的，也许是雷电点燃了树木，也许是石头之间擦出了火花。不管怎样，当先民们克服了对火的恐惧，并

▼100万年前的打制石器

11

意识到火的重要性时，他们就开始勇敢地用树枝来保存和使用火种，并且派人专门看管火堆，不断添加燃料。这样，人类文明就向前迈进了一大步。"

"爸爸，那火给我们的先民带来了什么好处呢？它真的有那么神奇的力量吗？"琪琪好奇地问道。

爸爸回答说："当然了，有了火，先民们可以像我们现在一样吃上烤熟的食物，不再害怕寄生虫带来的疾病。火还能吓跑大型野兽，让他们不再整天担心被猎杀。此外，石头相互撞击很容易产生火花，先民们为了取火开始大量使用石头，慢慢地发现了石头的更多用途，开始用石头制作刮削器、砍砸器、尖状器等简易工具。从此，人类告别了茹毛饮血的生活。"

"哦哦，"琪琪似懂非懂地点了点头，"对了，爸爸，您刚刚说我们的先民开始制造石器了，这就是他们繁衍生息依靠的另一样工具吗？"

"没错，就是如此。"爸爸爽朗地大笑起来，"而且，从出土的石器来看，我们的先祖学会利用的石器数量可不少，种类也很多，比如石片、石核、刮削器、砍砸器、尖状器，甚至还有制作精细的石球。制作这些石器除了需要锤击、砸击外，我们的先祖还掌握了挖空和初步的磨制技术。可以说，石器的使用让黄河流域的文明迈出了很大的一步。琪琪，你知道后来考古学家们发现了什么来证明我刚刚提到的观点吗？"

"嗯——我猜肯定有很多烧过的火堆和动物的骨头，对不对呀？"琪琪望着架子上的烧烤，若有所思地说道。

"琪琪真聪明，考古学家们在西侯度遗址中发现了烧骨和切痕鹿角，这说明黄河流域的祖先可能早在243万年前就开始使用火和制造骨器。在内蒙古的大窑遗址早期地层中也发现了灰烬遗迹。在河南安阳的小南海洞穴遗址中，同样发现了用火的灰烬、许多烧骨和打制石器。现在我给你讲讲石器的两种具体做法。"爸爸说道。

"好嘛，爸爸快说！"琪琪连忙催促起来。

爸爸笑着说："一种叫碰砧法，另一种叫摔击法（投击法）。碰砧法是将一块较小的石料向另一块较大的石料上碰击，再用锤击法、指垫法等方法进行二次加工；而摔击法则是相反的，先将选好的石料放在地上，再用手拿着另一块石头砸到地上的石料上，来获得最后需要的石片。"

爸爸笑呵呵地看着聚精会神的琪琪。"怎么样，琪琪分清楚了吗？"

▲ 百万年前"郧县人"旁惊现新石器

第一章 史前文明

> **小小地理家的话**
>
> 黄河流域的先民们用非常原始的方法与大自然搏斗。每造出一个粗糙的石刀或磨出一个简单的石球,都意味着他们向文明迈进了一小步。这说明在人类进步的过程中,从野蛮走向文明,劳动是最主要的动力。我们的祖先通过辛勤劳动不仅改变了自然环境,也逐渐改变了自己的生活方式。

琪琪回应:"嗯,我大致分清楚了,原来就连做一些简易石器都不是那么容易呀。"

爸爸接着讲道:"是啊,人类文明的进步,正是得益于这些看似简单的事情。哪怕每天只进步一点点,日积月累,也会带来巨大的变化。这一切都被我们的黄河母亲见证着。"

琪琪认真地点点头:"是呀,黄河哺育了华夏文明,给予了我们无数的生机与活力,我们一定要把这璀璨夺目的华夏文明传承下去!"

爸爸回头看看火,笑着说:"琪琪,你真懂事,但是你的烤肉快要烧焦了。"

裴李岗的先民们不仅会种地、做陶器，还会跳舞庆祝呢……

石磨盘里的古老故事

琪琪盘膝坐在地上，神情庄重，凝视着面前的打火机和从路边捡来的鹅卵石。爸爸看了他一眼，忍不住笑了："琪琪，你这么认真地看着这些小东西干嘛呢？"

琪琪严肃地回答："爸爸，了解了石器和火以后，我一想到是这两样东西帮助我们的祖先度过了漫长的黑夜，就觉得它们充满了神奇的力量。不要打扰我，我在向它们学习力量呢。"

爸爸摸了摸琪琪的头，说道："孩子，先民们能够生存下来，靠的不仅仅是石头和火焰，更重要的是他们的智慧。而且，学会了利用石器和火之后，他们还学会了另一种非常重要的力量，这让人类进入了新的时代——新石器时代。"

琪琪一下子从地上跳了起来："爸爸，您又吊我胃口了！快告诉我是什么力量，我也想变得更强！"

爸爸牵着琪琪的手，带他到厨房，拿出一双筷子："琪琪，你知道一根筷子和一捆筷子的故事吗？"

琪琪说："当然知道啦。一根筷子容易折断，但是一捆筷子就很难折断了。爸爸，您说的力量是团结吗？"

爸爸笑着说："琪琪真聪明，爱动脑筋。在很久很久以前，人们聚集在一起，共同生活、劳作，抵御野兽和外敌，形成了最早的社会组织——氏族。团结的力量帮助他们度过了旧石器时代的艰难岁月。今天，许多考古发现告诉我们，在裴李岗文化时期，黄河流域住着一个氏族。这个氏族的人们不再过渔猎生活，而是住在河边的小屋里。男人们犁地、打猎、捕鱼，女人们加工食物、饲养牲畜、照顾孩子。除了这些，他们还会在龟甲、骨头和石头上刻字记录事情，并且烧制陶器放在桌子上欣赏。休息的时候，男人们会用石片和陶片做笛子伴奏，女人们则穿上漂亮的衣服，快乐地跳舞，庆祝丰收或喜事。这就是中原地区最古老的文明。"

第一章 史前文明

知识点

氏族是原始社会最早的社会组织形式，分为母系氏族和父系氏族。母系氏族出现在人类从原始人群变成有组织的氏族的初期。在母系氏族中，孩子属于妈妈那边的家族，家族的传承也是按照妈妈这边来计算的。妇女在氏族里受到大家的尊敬，是氏族社会的中心。随着时间的推移，到了原始社会的后期，父系氏族逐渐取代了母系氏族。

知识点

裴李岗文化是仰韶文化的一个重要源头，也是华夏文明的来源之一。它的分布范围以新郑为中心，东边到河南的东部，西边到河南的西部，南边到大别山，北边到太行山。除了裴李岗遗址，还有其他重要的遗址，比如临汝中山寨遗址和长葛石固遗址。裴李岗文化属于新石器时代早期的文化。

琪琪摸了摸自己的头，问道："爸爸，您怎么知道得这么详细呀？难道您能通过时光机器回到过去观察裴李岗人的生活吗？"

爸爸笑了："我当然没有那么大的本事。这些都是考古学家们根据裴李岗出土的文物推断出来的。琪琪，你可能不相信，对这些重要史前文化的了解，是从村民们搬回家垫猪圈的石磨盘开始的。"

琪琪说："我不太信。村民们怎么会关心那些破石头呢？而且这些重要的文物怎么会随随便便被村民带回家？"

爸爸解释道："没错，一开始这些石头确实没有引起人们的注意。20世纪50年代早期，裴李岗的村民们在平整土地时，经常发现一些形状奇怪的石磨盘、石铲、陶壶等物品，就把它们搬回家垫猪圈或垒院墙。那时，谁也没想过这些东西原本是用来干什么的，更没有人认为这是古代文明的遗物。随着时间的推移，村民们发现的奇怪石头越来越多，引起了考古学家们的关注。于是，考古学家们开始逐一探寻这些石磨盘的来历。"

爸爸歇了口气，补充道："最后，从这些石磨盘入手，考古学家们发现了更多史前文明的痕迹，还原了一个有血有肉的新石器时代的裴李岗。他们找到了很多陶器和石器，房屋大多是圆形的，也有少数方形的，还有阶梯式的门道。通过这些工具和遗迹，考古学家们判断当时的人们已经懂得畜牧和耕种。进一步分析后，他们认为中国的农业革命最早就在这里发生。裴李岗居民进入了以原始农业、畜禽饲养业和手工业为主，以渔猎为辅的母系氏族社会，而裴李岗文化也是

▼彩绘陶壶

中国已知的最早的陶器文明。"

琪琪点点头,想象着古老的时光里,裴李岗人安居乐业、幸福生活的模样。大约八千年前,裴李岗水草丰茂,土地肥沃,先祖们偶然发现了这块乐土,选择在这里定居,过着轻松舒适的生活。虽然经过几千年的风雨,早期文明的废墟已经被深埋地下,但历史是永恒的,没有任何力量可以磨灭。裴李岗文化向我们证明了裴李岗人的存在,展示着黄河文明悠久的历史。

▲ 黄河风光

彩陶小碗里藏着远古的秘密

泥澄火炼丹砂染

爸爸最近在书房里添了一个博古架，用来摆放他那些各式各样的收藏品。这下琪琪多了一个新乐趣，每天都会跑去研究架子上的宝贝。今天，引起他注意的是一个小碗，这个碗看起来很普通，橙黄色的底色上有一些简单的黑色图案。在琪琪看来，它还没有自己平时用的白瓷碗好看呢。

琪琪好奇心很强，立刻拉着爸爸的手，把他带到博古架前，指着那个小碗问："爸爸，这个小碗是什么来历呀？"爸爸笑眯眯地看着那个小碗，说："琪琪，这是一个彩陶碗。彩陶早在一万年前就在黄河流域出现了，它是既实用又有艺术价值的东西。虽然现在看它可能觉得简单，但在当时，每一次成功地使用泥土和火，每一笔朴素的绘画，都是人类文明进步的一小步。我收藏这个碗，是为了纪念最早的那些文化种子。"

听了爸爸的话，琪琪连连点头，但他对万年前的历史充满了好奇，便摇着爸爸的手要他继续讲彩陶的故事。在他的想象中，一万年前应该是一个荒凉的时代，华夏五千年的历史都还没开始，原始人是怎么制作出彩陶的呢？

爸爸拍拍琪琪的小脑袋，解释道："彩陶的制作过程和上面的图案都有故事。先说制作吧，黄河流域的祖先们学会了耕种土地，还学会了用火来烧制陶器，这是黄河文明利用自然资源不断发展的证据。大约一万年前的新石器时代，人们开始把身边的泥土和火结合起来，发明了烧陶技术。他们发现了一些天然矿物颜料，知道哪些颜料烧制后会变成红色或黑色。然后，他们会筛选和清洗陶土，塑造成型，再进行烧制，最后打磨表面。经过不断的尝试和改进，才有了彩陶。"

琪琪感叹道："那时的人们真有耐心啊，这样一点点地试验，我可做不到，我只会玩泥巴。"

爸爸笑着回答："这也是为了生存。烧制陶器让人们可以储存液体，还能煮食物，是人类与自然斗争中的一个大发明。你现在衣食无忧，当然不

▼鸟鱼纹彩陶葫芦瓶

第一章 史前文明

▼ 彩陶

需要考虑这些。"

爸爸接着说："至于装饰图案，它们显示了黄河流域祖先们的审美意识。在中国的传统艺术中，彩陶是最早将图案和器物结合的艺术作品。刚开始时，陶器上没有刻意的装饰，但在制作过程中手捏、刮削等动作常常留下一些不规则的痕迹。"

琪琪说："没错，看到那些不规则的痕迹我会很烦躁。"

> **知识点**
>
> 彩陶（亦称陶瓷绘画），是在打磨光滑的橙红色陶坯上，以天然的矿物质颜料进行描绘，用赭石和氧化锰作呈色元素，然后入窑烧制成的陶，是中国的文化瑰宝。

爸爸笑着说："你烦躁是对的，当时的人们也忍受不了。随着审美的提高，他们逐渐把这些不规则的痕迹变成了有规律的纹饰，比如一排排的剔刺纹、一圈圈的水涡纹。早期陶器上的绳纹，是用绳子缠绕在木棍上滚压陶器外壁形成的，不仅让陶器更坚固，还美化了外观，一举两得。后来，越来越多的纹饰出现，有些只是为了装饰。随着时间的推移，彩陶就出现了。陶器不仅是实用品，还是艺术品。"

琪琪还是不太能想象那些花纹："爸爸，您能具体讲讲当初的纹饰吗？在那么久远的历史中，人们最早会画些什么图案呢？"

爸爸回答说："这个问题问得好！让我给你讲讲这些最早的图案。彩陶上有许多几何图案，这些图案是早期编织、渔网、水涡、树叶等形状的延续和变化，反映了原始人的内心世界。人们用画笔表现出运动、平衡、重复和节奏感，这真是神奇的创造。"爸爸指了指博古架上的小碗，那个碗上的图案就是树干。"彩陶上的植物和动物形状通常会被简化成几何形状，形神兼备，展现了很高的艺术水平。"

爸爸继续说："除了几何图案，彩陶上还有很多象形图案，最常见的主题是生殖。出土的陶器上有很多鱼、蛙、果实、花朵的图案。那时候，人的寿命很短，生育对他们来说非常神秘，所以多产的动物如鱼和蛙就成了生育的象征。在母系氏族社会中，赞美生育也就是赞美女性，这些图案得到了女性的认可。直到今天，在民间艺术如剪纸中，仍然可以看到类似的图案。"

琪琪再次仔细看了看那个起初看起来不起眼的小碗，这一次，他觉得这个小碗真的很特别，里面装满了悠久的历史。

第一章 史前文明

小小地理家的话

彩陶在新石器时代不仅有实用的功能,还能让人们欣赏它的美丽。现在,它还成了研究古代文化的重要工具。

彩陶上记录了一些古老的符号。在西安半坡村发现的彩陶碗边上,有二三十种不同的符号,这些可能是数字记号,也可能是最早的文字。而在大汶口文化和龙山文化中,已经出现了可以读懂的象形文字。

彩陶上还有最早的绘画。这些画和最早的文字——象形文字非常相似。在黄河流域的很多地方,出土的陶器上有各种各样的图案。仰韶文化的陶器上主要用线条来装饰,而龙山文化的陶器则以几何图形为主。这些图案用来表现人、动物、植物和其他事物的形象。

另外,彩陶还记录了原始舞蹈。1973年,在黄河上游的青海省大通县上河家寨,人们发现了一个新石器时代的彩陶盆。这个彩陶盆的边缘上画着三组跳舞的人,这让我们看到了远古时期人们跳舞的样子。

▼ 彩陶双连壶

仰韶彩陶里面装满了古人的生活和智慧

仰韶彩陶耀千古

　　爸爸最近迷上了一本鉴赏图册。每到下午，琪琪总能看到爸爸一只手轻轻摸着图册的页面，另一只手拿着放大镜仔细看每一张图片。好奇心旺盛的琪琪忍不住凑到爸爸身边，和他一起研究这本图册。一开始，琪琪看到的都是一些红色或褐色的陶器，旁边还有小字介绍。再仔细一看，才发现每个陶器上的图案都不一样，形状也各有特色。

　　琪琪突然想起，这些陶器就是他在爸爸博古架上见过的彩陶，于是问道："爸爸，您不是有彩陶吗？为什么还要看这些图片呢？"爸爸看了看博古架，说："我收藏的是仿制品，而这本书里的彩陶是真正的仰韶文化遗物，非常珍贵。这些彩陶不仅展示了几千年前仰韶文化的面貌和发展，还见证了我国新石器时代考古学的诞生。"

　　琪琪重复道："仰韶文化？这个名字好拗口啊，它和那些彩陶真的很重要吗？"爸爸肯定地说："当然重要。仰韶文化出土了大量的彩陶碎片和古代人居住的遗址，证明了中华文明的历史悠久和灿烂辉煌。"

　　爸爸接着说："黄河中下游的仰韶文化，不仅是汉民族'通向远古文明的窗口'，其彩陶艺术也可以说是开启了我国彩绘艺术的先河。"琪琪听完，再次看向图册上的古老陶器时，心中充满了向往。这些来自仰韶文化的陶器仿佛一把把钥匙，开启了华夏文明的第一缕曙光，照亮了人类的智慧之门。

　　看着看着，琪琪想起了自己在科普节目里看到的陶器制作过程。原本普通的泥土经过一系列加工，变成了既漂亮又实用的陶器。他忍不住感叹："发明这种工艺的人真是太厉害了！他们在生产之余，怎么会想到创造出这么神奇的东西呢？"

　　爸爸笑了笑，解释道："这种技艺可不是凭空出现的。大约8500年到3000年前的黄河流域，气候比现在温暖湿润，这个时期被称为仰韶温暖期。那时候人口增加，生产兴旺，人们有足够的食物。就像你语文课上学过的'仓廪实而知礼节',生活条件好了,人们就有更多精力去追求宗教和艺术,而陶器就成了艺术传承的重要载体。"

"哦,那就像我画画一样,把想记录的事情画在纸上。那时候没有纸,所以他们就把图案画在陶器上了,对吧?"琪琪对自己的推理很满意。

爸爸笑着点头:"没错。以前很多记录方式留下的资料,在时间的流逝中被侵蚀和消磨掉了,难以考证。但陶器耐腐蚀性强,即使埋在地下几千年,上面的图

> **知识点**
>
> 仰韶文化是黄河中游地区非常重要的新石器时代文化,也被称为彩陶文化。这个名字是因为最早在河南省渑池县的仰韶村发现了这种文化的遗址而得来的。后来,人们在西边的甘肃和青海东部,东边的河南大部分地区,南边的丹江流域,北边的内蒙古和河北南部,都找到了仰韶文化的遗迹。仰韶文化大约发展了2000年左右的时间。

▼ 仰韶文化晚期遗址

小小地理家的话

在仰韶文化遗址被发现之前，中国近代的考古学几乎是空白的。仰韶文化的发现，就像是打开了一本新书，开启了中国考古学的起点，填补了远古中国文化发展史上的空白。

仰韶文化遗址的发掘，标志着我国新石器时代考古和现代田野考古学的开始。这证明了我国有一种非常发达且独具特色的新石器文化，是世界新石器时代文化的重要部分。同时，它还为研究中国文明的起源提供了重要的线索和基础。

自从发现了仰韶文化遗址后，我国才开始逐步进行更多的田野考古发掘工作，并从新石器时代的研究扩展到了旧石器时代、青铜时代和铁器时代，逐渐建立起了完整的中国考古学体系。

可以说，仰韶文化遗址的发掘是中国近代田野考古学的开端，也是中国新石器时代考古的基础。

案和文字依然清晰可见。这也是我们了解当时文化环境的重要依据。"

琪琪点点头："没想到，只是画在陶器上的花纹，就能让这么久以后的人了解到那么多事情。他们在记录的时候，一定想不到会影响到这么多年后的研究吧？"

爸爸说："也许吧，不过这些看似简单的陶器纹饰背后，包含的仰韶文化影响力可能比你想象的还要大。要知道，仰韶文化是黄河流域最重要的原始文化之一，在世界范围内也非常有名。"

"这么厉害吗？"琪琪的眼睛睁得更大了。"是的，仰韶中期文化在其发展过程中，对周边地区的影响非常广泛和深远。"

听完爸爸的话，琪琪再次觉得眼前这本鉴赏图册中的每一张彩陶图片都散发着神秘的历史与文化的光芒。

▼ 仰韶村国家考古遗址公园

第一章 史前文明

> 龙山黑陶，薄如蛋壳、黑得发亮，它们是怎么制作的呢……

龙山黑陶留余韵

这天，琪琪像往常一样在爸爸的博古架上东摸摸西看看，突然发现架子上多了一个新东西。它看起来普普通通，像是陶器，但不像他在图鉴上看到的那些色彩鲜艳的陶器，而是黑乎乎的。这让琪琪很疑惑，爸爸怎么会把这样的东西放到博古架上呢？

"爸爸，架子上那块黑乎乎的东西是什么呀？不会是你昨天钓鱼的时候在河边捡的吧？"琪琪忍不住好奇地跑去问爸爸。

"石头？那可是大名鼎鼎的龙山黑陶！我好不容易才在市场上找到的呢！"爸爸对琪琪说道。

"龙山黑陶？这么说那也是一种陶器？和我之前见过的陶器差别可真大，竟然是这种又黑又薄的样子。"琪琪把那块黑陶片拿下来，放在手里仔细观察。

"没错，龙山黑陶之所以出名，就是因为它的独特工艺造就了这种漆黑的颜色和非常薄的器壁。和其他陶器相比，可以说是独具一格。"爸爸得意地说，"比如城子崖出土的黑陶艺术品蛋壳杯，杯壁只有0.5毫米厚，重量只有50克左右，是黑陶中的极品。即使是现代人，想要烧制出这样精细的陶器也非常困难！"

"这么厉害！"琪琪觉得手里这块黑色的陶片顿时变得神秘起来。"那么多年以前的人们，竟然能够做出这么精致的陶器，真是难以想象。"

"黑陶这么特别，那和普通的陶器相比，它的制作方式应该很不一样吧？"琪琪问道。

"其实也不是完全不同，"爸爸解释说，"黑陶的制作还是基于普通陶器的技术，只是经过了一些改进。总的来说，龙山文化的制陶术有两个重要的进步：一是窑的结构和封窑技术的改进，使得陶胚里的铁元素能充分还原，烧出的陶器变成灰色或黑色，质地坚硬细密；二是使用了快轮来制作陶胚，使器形更周正、器壁更薄，有的精制品甚至像蛋壳一样薄。"

▼黑陶

　　琪琪点了点头，说道："原来如此，这样一来，黑陶就有了漆黑的颜色和纤薄的器壁了。龙山的古人真是太聪明了。"

　　"当然了，而且他们留下的这些印记对如今的中国文化历史意义重大呢！"爸爸继续说，"你还记得我刚才提到的城子崖吗？那是1928年春天，考古学家吴金鼎在山东省济南市历城县龙山镇发现的。在那里，他挖出了许多与石器、骨器共存的又薄又黑又亮的陶片。龙山镇城子崖遗址最突出的代表就是黑陶，所以考古学家最初称其为黑陶文化。在城子崖以前，我国出土的古陶器多为含沙量高的彩陶和红陶，而以河泥为原料的黑陶，可以说是4000多年前的独特创造。龙山文化的发现证明了中国东部存在一种不同于彩陶文化的本土黑陶文化。"

　　琪琪一边把玩手里的陶片，一边感叹道："没想到这黑乎乎的陶器竟然出自那么久以前的文化遗址，还能证明整个文化的诞生与发展。"话刚说完，他不小心手一滑，薄薄的黑陶片从掌中掉了下来，落在地板上发出了一声脆响。

　　"哎呀！"琪琪惊呼一声，连忙蹲下身将陶片捡起，仔细检查后发现并没有破损，这才松了一口气。

第一章　史前文明

爸爸却很淡定地说："放心吧，这东西没你想象得那么脆弱，不然它也不能从几千年前留存到现在，向我们讲述那时候的故事了。"

▼黑陶

"真的吗？"琪琪一听立刻来了精神，"爸爸，您能把之前新收藏的几个大的彩陶罐拿给我看看吗？我看您把它们放在柜子里好久了，小时候您就不让我碰，既然不容易坏，那就让我摸摸呗！"

"这个嘛……"爸爸想到自己的宝贝瓶瓶罐罐，又想起琪琪平时的手脚不太稳当，轻松的表情顿时凝固了。

小小地理家的话

中国是一个非常特别的国家，因为它是世界上四个古老的文明古国中唯一一个文化一直传承到现在的。我们的故事要从很久很久以前的龙山文化讲起，那时候的人们开始创造出很多了不起的东西。

后来的殷商时代变得更加繁华，但这一切并不是突然出现的，而是从龙山文化慢慢发展来的。那时候的人们建起了城市，制作出了精美的青铜器，还发明了文字呢！

在研究中国的古老文明时，我们发现龙山文化时期已经出现了许多文明的特征。比如人们建造了城墙来保护自己，挖了壕沟作为防御，还有用土夯实起来的房子，贵族们有专门的墓地，他们使用铜器和玉器，制作了薄得像蛋壳一样的黑陶器皿，以及用来举行仪式的大陶器。这些都说明当时的社会生产力变得越来越强，人们能够生产更多的食物和其他东西，有些人变得很富有，而有些人则比较贫穷，这就形成了不同的社会阶层。

如果我们从更早的裴李岗文化算起，中原地区的文化已经有8000多年的历史了。在这漫长的岁月里，人们学会了如何更好地种植作物，积累了丰富的农业知识和技术，这为中原地区文明的发展打下了很好的基础。

穿越时空的农耕之旅，让我们一起跟随历史的脚步，探索农业的起源与发展

神农尝草开农耕

琪琪最近迷上了中国远古时期的神话和传说。当他读完穴居的有巢氏和取火的燧人氏的故事后，看到一个熟悉的名字——神农氏。琪琪知道这位神农氏就是大名鼎鼎的炎帝，也知道神农尝百草的传说，但这本书里却提到了一件他不知道的事：神农还是农业的始祖。琪琪感到困惑，抱着书跑去问爸爸："爸爸，这本书上说，神农是农业之祖，他真的有这么厉害吗？"

爸爸用手指敲了敲琪琪手中的书，想了想回答道："其实我们现在不能确定神农氏是不是真实存在的人物，但我们可以把关于他的故事看作是对黄河流域早期农业发展的记录。从'神农'这个名字就可以看出，他与农业的关系非常紧密。神农氏代表的是原始种植业和畜牧业开始出现的时代。"

爸爸停了一下，接着说："传说在神农氏之前有一个叫包牺氏的人，那时候人们主要靠打猎和捕鱼为生，还没有农业。后来，因为人口增多而动物变少，食物不够吃了，于是出现

知识点

农业包括种植、收获储备、加工食用三大步骤。在原始农业出现之前的采集渔猎时代早期，收获储备与食用是两个完全独立的过程，采集储备的东西不一定都是食用的，人们食用的东西经常是现采现吃，并不一定是先前储备的东西。伴随着陶器的出现，人们才具备了安全有效的贮藏手段，能够长期储备食物，从而把采集储备和食用两个独立过程紧密地结合在一起。这就催生了对种子的需求，促使神农传说产生。

▲新石器时代完整灰陶碗

了神农氏。神农氏'根据天时地利，发明了耒耜（一种农具），教人们耕种'，成为了农业的始祖。"讲到这里，爸爸抛给琪琪一个问题，"你知道吗？神农尝百草不仅体现了中医采集草药的智慧，还反映了原始种植业是如何产生的。你能猜到为什么吗？"

　　琪琪想了想，回忆起神农尝百草的故事，小心翼翼地说："尝百草实际上也是在挑选适合种植的植物吧。人们学会了种植，才有了最初的农业，对不对，爸爸？"

　　爸爸点点头，表示赞同："你答得不错，不过还可以更全面一些。在中国农业刚开始的时候，是以种植为主的。要大量种植作物，首先需要选择和驯化野生植物，比如稻、黍、稷、麦、菽这些五谷；其次要有合适的农具，比如耒耜；还要掌握种植的时间。你提到的植物驯化是最重要的一部分——通过长期的采集生活，人们对各种野生植物进行了广泛的试验，逐步选出了能够满足人类需要的栽培植物。"

▼ 古代陶器

听了爸爸的话，琪琪感觉自己对这个传说有了新的理解，感叹道："神农氏一个人做了这么多事情，他确实太厉害了，不愧是中华始祖！"

爸爸笑着说："琪琪，你又想当然了。农业的发展需要很长时间的技术进步和知识积累，不是一朝一夕就能完成的。所以，神农氏代表了一个很长的历史时期，'神农氏'的传说反映了中国农业从萌芽到成熟的过程。"

琪琪虚心认错，追问道："那考古发现中的中国原始农业发展过程到底有多长呢？"

爸爸回答："原始农业的每一点进步都需要上千年的时光。最早的农业遗址可以追溯到河南省中部的裴李岗文化和河北省中南部的磁山文化，距今已有七八千年的历史。当时的主要农作物是粟（也就是小米），人们还用弓箭、飞镖、渔网等工具打猎和捕鱼，并采集树籽和其他果实作为补充食物。

随着这种以种植为主的经济体系的发展，人们的生活变得更加稳定，

▼ 古代陶器

形成了早期的农业村落，这被称为'前仰韶文化'。经过两千多年的发展，出现了著名的仰韶文化，这时候农业生产水平有了很大提高，出现了面积几万甚至几十万平方米的大村落。不过，小米仍然是主要作物，直到后来才发现了水稻和蔬菜种子。琪琪，从这两千年的发展中，你可以看到提升产量和发现新作物有多么困难，原始农业的发展是多么漫长的过程。"

▼古代陶器

小小地理家的话

农业的诞生是一件超级重要的大事，它就像是给文明打下了坚固的地基。

在人们开始种地和养动物之前，他们主要靠采集野果和打猎来获取食物。那时候，人类的生活非常依赖大自然给予的食物。不过，在长期的采集、捕鱼和狩猎中，人们学到了很多关于动植物的知识，这些知识后来帮助他们学会了如何驯养野生动植物。

随着环境的变化，原始人需要寻找新的食物来源。于是，农业和畜牧业就这样诞生了。通过学习生物繁殖的知识，并将其运用到农业生产中，人们能够自己种植更多的食物，不再完全依靠自然界的馈赠。这使得人们能够在大自然中更加主动，不再只是被动接受。很快，农业就成为了古代中国最重要的生产活动之一。

随着农业的发展，农民不仅能养活自己，还能生产出多余的食物。有了这些多余的食物，人们可以做更多的事情，比如发展畜牧业和手工业。这样一来，有些人就可以专门从事思考和创造的工作，而不用整天忙着干体力活儿了。

炎帝和黄帝的联盟，书写了中华文明的开端

炎黄氏族启华夏

琪琪平时喜欢到处玩耍，但一到看书学习的时候，他可认真了。这会儿，他正坐在小书桌前翻看着自己喜欢的书。当他读到鲁迅先生的诗句："寄意寒星荃不察，我以我血荐轩辕。"时，有些疑惑，"轩辕"是什么意思呢？老师说过，遇到不懂的知识要多问，于是他赶紧跑去问爸爸。

爸爸摸摸琪琪的头，夸奖他爱学习、爱提问，然后解释说："古代有一种车叫'轩'，车前面用来驾牲口的那根直木叫'辕'，'轩辕'合起来就是指古代的车。"琪琪更困惑了："那鲁迅先生的意思是他要用鲜血来推荐车吗？这不可能吧。"

爸爸笑着继续说："这里用的当然不是车的意思。人们称黄帝为'轩辕氏'，因为黄帝被认为是中华民族的祖先，所以'轩辕'就代指中华民族。"

琪琪这下明白了诗句的意思，很快完成了今天的学习任务。他又想到了其他问题："爸爸，经过最近的学习，我知道'炎黄子孙'中的'炎'和'黄'分别代表神农氏炎帝和轩辕氏黄帝，但这两位是怎么被联系在一起，成为中华民族代称的呢？"

爸爸解释说："黄帝和炎帝是两个部落的首领，这两个部落都很有影响力。后来，黄帝的部落打败了炎帝的部落，两个部落最终合并成了一个更大的部落，形成了古华夏民族的主体。所以中国人自称为炎黄子孙。实际上，炎黄部落的战争反映了早期氏族的发展与融合，标志着中华文明五千年的开端。"

琪琪睁大眼睛问道："炎帝和黄帝为什么会打起来？他们不能和平相处吗？"

爸爸回答说："这也是没办法的事。大约5000年前，气候开始变冷，虽然平均气温变化不大，但影响却很大。原本适合农业的地方变得寒冷，农作物经常减产甚至绝收。森林变成了草原，动植物资源减少，导致采集和渔猎的收获也减少了，部落的生存受到了威胁。为了生存，部落之间不得不进行战争。当和平消失，战争来临，部落里的男子都要上战场。部落之间为了掠夺奴隶和财富，经常发生冲突。一些近亲部落因此团结起来，不断合并，形成部落联盟。"

琪琪点点头："原来战争都是为了生存啊。那这场氏族之间的战争一定很激烈吧。"

爸爸应和道："没错。当时黄河流域有几个较大的部落，其中最有名的一个是以黄帝为首的部落联盟。黄帝聪明能干，他的部落定居在现在的河北省涿鹿一带，那里自然条件好，加上黄帝领导得当，很快就变得强大起来。而炎帝最早住在我国西北方的姜水附近，由于自然条件不好，炎帝的部落渐渐衰弱了。"

琪琪说："哦，因为炎帝部落衰弱，黄帝部落就去攻击他们抢资源了吗？"

爸爸摇摇头，接着讲道："不是这样的。在此之前，炎帝还要面对一个强敌——九黎族的首领蚩尤。蚩尤的部落非常强大，传说他们能制造各种金属兵器，常常侵扰邻近的部落。蚩尤向西北侵犯，占领了炎帝的土地，掠夺财物，炎帝起兵反抗，却被打得惨败。"

琪琪说："我明白了。炎帝不是蚩尤的对手，只好逃到住在涿鹿的黄帝那里，请求帮助。"

爸爸点头说："正是如此。于是黄帝就在涿鹿地区与蚩尤展开了一场大战。黄帝的部落很强大，威望很高，很快就联合了不少部落，组成了强大的联盟。经过多次战斗，终于抓住并斩杀了蚩尤。黄帝打败了蚩尤后，他在部落联盟中的威望更高，势力更强，受到了各部落的拥护。还有一种说

▼丁酉年黄帝故里拜祖大典

法是,涿鹿指的是山西运城一带,黄帝和炎帝联合打败了蚩尤,蚩尤被杀后,血水化为盐池之水,运城就有了盐池的好处。后来,炎帝部落才和黄帝部落发生了冲突,在阪泉一带打了一仗,结果炎帝大败。黄帝成了整个中原地区的部落联盟首领。"

最后,爸爸总结说:"不久后,炎帝部落和黄帝部落逐渐融合,共同开发黄河中下游地区。中原文化,也就在这片土地上诞生了。"琪琪点点头,他已经完全明白"炎黄子孙"的含义了。

▼黄帝城遗址

从钻木取火到大禹治水，古代英雄们如何带领我们走出洪荒

越过洪荒与林莽

这天，爸爸正在自己的房间里悠闲地喝茶，琪琪忽然拿着一本书敲响了爸爸的房门。

"爸爸，您认识这个字吗？"琪琪问道。

爸爸放下茶杯，接过琪琪手里的书一看，笑着说："这个字念'燧'(suì)，和'岁'的读音是一样的。这个人叫燧人氏。哦，你记得那种最古老的生火方式吗？"

琪琪很快答道："您说的是钻木取火吧？"

"没错，传说燧人氏就是最早使用钻木取火的人。"爸爸说着，随手翻看书的封面，《四大古国与文明起源》。"

"没错，我们中国可是四大文明古国之一呢！"琪琪得意地说。

爸爸点点头说："对，燧人氏生活的时代，是中国文明起源的时期。那时候有巢氏用树枝搭窝避害，燧人氏发明了钻木取火，伏羲氏开始结网捕鱼，神农氏开始了农耕生活。我们的祖先从刀耕火种一步步发展到更先进的生产方式。三皇五帝是那个时代最有名的人物。随着生产力的发展和部落之间的战争，原始社会的公有制逐渐消失，私有制出现了，国家也随之诞生。夏朝是我国最早的奴隶制国家。"

"哦，我知道，我们历史课讲古代史的时候，就是从夏商周朝开始的。"琪琪说。

"那你也应该学过《大禹治水》这篇课文吧，你知道大禹是部落的首领吗？"爸爸似乎想考考琪琪在课堂上学到了什么。

"我知道！舜把首领的位置传给了大禹，这种让位制度叫……叫禅让制！"琪琪自信地回答。

爸爸满意地点点头说："没错，尧、舜、禹的时候，部落联盟实行民主选举首领的制度，这种制度历史上称为'禅让制'。大禹因为治水有功，被人们尊称为大禹。他是原始社会最后一位通过民主选举产生的部

落联盟首领。大禹去世后，他的儿子启利用父亲的声望，自己当上了首领，打破了禅让制，开启了父死子继的'家天下'时代。从此，私有制代替了公有制，我国进入了阶级社会，也就是奴隶制时代。"

琪琪若有所思地点点头："原来如此，难怪老师一开始就说夏朝是非常著名的奴隶制社会呢。"

爸爸接着说："虽然现在听起来奴隶制很不可思议，但它确实为后来中华民族的发展奠定了基础。你们上历史课时应该也学到了，看历史要站在当时的角度去理解，也要跳出时代以客观的视角来看待。王权政治的出现，是社会的一大进步，它有助于结束混乱的局面，使社会变得相对稳定。"

琪琪点点头，"这些神话和历史结合的故事真的很有趣，很多记载现

▼ 钻木取火

知识点

在很久很久以前，尧和舜当首领的时候，发生了一场非常大的洪水。大禹是一位非常勇敢和负责任的英雄，他决定要帮助大家解决这个大问题。大禹带着大家一起努力治理洪水，还帮助人们更好地种植庄稼。大家都非常敬佩他。

为了治理洪水，大禹常年在外忙碌，与大家一起工作，完全不顾自己的小家。"三过家门而不入"。

由于大禹的努力，洪水终于被控制住了，整个国家变得安宁祥和。那时候，到处都是和平美好的景象，人们生活得很幸福，没有太多烦恼，这就是"天下大和，百姓无事"的意思。

▼ 大禹雕塑

小小地理家的话

中国的远古传说和神话流传至今，这正是它们文化价值的体现。三皇五帝是人们对远古祖先的记忆与神话传说结合而成的故事人物。他们是指那些在人类文明刚刚开始时，为部落做出了巨大贡献的首领。这些人有的发明了重要的东西，有的带领大家战胜了恶劣的自然环境，有的帮助人们改进了生产技术，还有的领导大家赢得了重要的战斗。总之，是他们在大地上种下了文明的种子，克服重重困难，带领先民从蒙昧走向光明。

从神话中的"有巢氏"到"炎帝和黄帝"，再到考古发现中的"裴李岗"遗址和"龙山"文化，黄河流域的先民们为我们留下了古老的痕迹，也为我们开辟了文明最初的道路。

在都能找到证据来证明。"

"没错，神话传说对于研究每个古国文明的起源都是非常宝贵的资料。世界上几乎每个重要文明在早期都有神话传说，而中华民族又有祖先崇拜的传统。三皇五帝是指那些远古时代对人类文明做出巨大贡献的部落首领。人们把这些伟大人物的事迹用带有神话色彩的传说一代代传下来，后世学者又根据这些传说去寻找他们之间的联系。"

琪琪没想到，只是问一个字，却从爸爸这里听到了这么多关于中国古代文明起源的故事，真是收获满满。当他翻到书的下一页时，又遇到了一个不认识的字："爸爸，您看这个字该怎么读？"

"你呀，还是查一下字典吧！"爸爸说完，重新拿起了茶杯。

第二章　夏商西周

黄河文明的形成

黄河川流不息，岁月如梭，时光转眼进入了夏商西周。夏商西周即夏朝、商朝和西周，夏、商、西周都属于奴隶社会时期，发展都以黄河流域为中心，所以这一时期诞生的文明也是黄河文明的重要组成部分。因为青铜器的诞生和空前繁荣，夏商周也被称为"青铜时代"。青铜器产生于原始社会末，在夏朝快速发展，在商朝达到顶峰。除此之外，夏商周时期的政治制度、农业、手工业、商业和文化方面都得到较大发展。

大禹建立的夏朝是原始社会向文明社会的过渡时期，是中国第一个世袭制朝代，夏朝延续约470年，具有划时代的意义，此后中国进入奴隶制社会。夏朝留下了"大禹治水"的传奇故事，原始农业和手工业等的发展，为黄河流域的文明进程打下了坚实的基础。

商国是夏朝方国联盟制下的方国之一，商国国君汤带领众多方国在鸣条之战中灭了夏朝，汤建立商朝，在亳（今河南商丘）建都。商朝在延续的500多年里数次迁都，有人说是因为政乱，有人说是因为水患，说法不一。商朝十分信奉神灵，敬畏大自然，占卜成为日常活动之一，在此背景下，甲骨文出现了。

西周灭商后定都于镐（今陕西西安），奴隶制国家机构设置日臻完善。社会生产得到很大发展，农业生产工具得到很大改善，生产技术得到提高，农产品数量和种类都有所增加。政治制度以分封制和宗法制为主，层层分封，等级分明，衍生出同样等级分明的礼乐制度，为黄河文明写下了浓重的一笔。中国的家庭观念以及尊老思想等，都在这一时期形成的，直到现在根深蒂固。由于经济发展，人们的精神生活也更加丰富，中国首部诗歌总集《诗经》中收录的作品很多就是这一时期创作的。

传承优秀的黄河文明，可以使我们的中华文化更加厚重，也能使中国人民树立文化自信，对实现中华民族伟大复兴的目标有很大的促进作用。

夏商西周时期是一个开创文明的时代，在黄河文明中占有重要地位，现在就让我们一起来探索这一时期的文明吧！

▼ 战国青铜器

▲ 青铜器

第二章 夏商西周

历史文脉传承 上

大禹治水,平息了洪水,开启了夏朝的新时代

大禹治水始开国

周末,琪琪正在书桌前阅读课外书,是关于大禹治水的故事。

琪琪为大禹三过家门而不入的精神所感动。大禹治水是什么时候的事呢?他治的水是哪里的水呢?

按捺不住好奇,琪琪立马拿着书去找爸爸。

"爸爸,您知道大禹治水的故事吗?这是什么时候的故事呢?"琪琪跑到正在浇花的爸爸面前迫不及待地问。爸爸对琪琪的提问感到欣喜,放下浇水壶,喝了一口茶,准备为琪琪细细讲述大禹治水的故事。

▼黄河

知识点

大禹精神就是大禹带领人民在治水过程中表现出来的艰苦奋斗、乐于奉献、勇于开拓、科学治水、以人为本的精神。这一精神是中华民族精神的源头和标志,也是黄河流域一直传承的精神财富。

知识点

夏朝的建立,标志着中国原始社会部落联盟的组织形态结束。此后,"国家"这个新型的社会政治形态形成,奴隶社会代替了原始社会,推动了中国古代文明的前进。

"这大禹治水啊,是发生在三皇五帝到夏朝过渡时期的故事,他们治的水就是我们之前一直讲的黄河水。当时黄河流域常常洪水泛滥,民不聊生。尧就派鲧去治水。可鲧治水的方法不对,最终以失败告终。他失败后,他的儿子禹就担当起治水大任。"

爸爸不紧不慢地讲着,一旁的琪琪听得入神极了。爸爸说罢,琪琪就立马问道:"那大禹是真的13年就算路过家门都不进去吗？他难道不想家人吗？"

第二章 夏商西周

"哈哈，傻孩子，他当然想念家人，就像琪琪离家久了想家一样，但他知道自己身负重任。整整13年时间，大禹终于控制住了咆哮的黄河，使人民过上了幸福安宁的生活。琪琪要向大禹学习哦。"爸爸轻轻捏了捏琪琪肉嘟嘟的脸说道。

"知道啦，爸爸！我一定向大禹学习，他简直是个英雄。那他后来怎么样了？"琪琪走到爸爸背后为爸爸边揉肩边问道。

"传说因为大禹治水有功，深受百姓爱戴，当时的首领舜就通过禅让，让大禹继承了首领位置。大禹建立了夏王朝，他退位时，打破之前的推举贤人即位的禅让制度，让他的儿子启继承了帝位，中国从此由'公天下'变为了'家天下'。夏朝是中国第一个奴隶制国家。"

琪琪有些疑惑，为爸爸揉肩的手松弛了些，爸爸缓缓问："孩子，你在想什么呢？"

知识点

相传尧是中国上古时期的部落联盟头领。在位期间开创禅让制，设立诽谤木来改进政务，治理水患，还颁授农耕时令，是传说中的一代贤君。后来将首领之位禅让给舜。鲧（gǔn）是大禹的父亲。禹本名为"文命"。

小小地理家的话

夏朝是开创性的时代，是原始社会的结束，奴隶社会的开始。目前考古学家们正积极证实夏朝存在的真实性，因为夏朝是黄河流域中十分重要的历史时期，它的证实对于黄河文明的传承来说十分重要。

见爸爸有所察觉，琪琪索性坐在爸爸跟前，边为爸爸捶腿边问："爸爸，为什么您强调说是传说中呢？难道夏朝的故事不是真实存在的吗？"

"因为目前流传下来的与夏朝有关的历史资料非常少，所以夏朝的存在一度受到怀疑，但后来人们研究发现《史记·夏本纪》记载的朝代世系十分明确，而且在西周的遂公、齐侯钟和春秋秦公簋等文物中都提到了禹王，因此多数学者认为夏朝是存在的，记录夏朝故事的《史记·夏本纪》也是被认可的。关于夏朝存在的其他证据，考古学家们还在积极探索中。"

爸爸说罢，琪琪瞬间高兴起来："考古学家们太棒啦！希望他们能够找到证据，证明夏朝是存在的。"

古人们为什么在黄河边建都又多次迁徙

盘庚迁殷稳家园

"爸爸,为什么黄河那么可怕,古人还要在黄河边生活,帝王们还要在黄河流域建都呢?"琪琪在爸爸的书房里随意翻着书,突然看到一句描写黄河汹涌的诗句,便不解地问正在一旁看报的爸爸。

"哈哈,那是因为古代经济以农业为主,想要发展农业,就需要大量的水资源,而那时农业生产技术以及水利技术很不完善,古人便临水而居。黄河之所以被称为"母亲河",是因为在黄河流域,我们的祖先能够种植食物,水草能够养殖牲畜,有了物质基础的保障,文明才得以产生。所以古人对黄河向来又敬又怕,也正是在无数次与洪水泛滥的斗争中,水利技术才有所进步。"爸爸眼睛深邃极了,好像穿越回古时候,看到了那时人们与黄河的恩恩怨怨。

"那夏朝以后,黄河流域还有水患吗?"看着爸爸若有所思的样子,琪琪便对那时的事更加好奇了。

琪琪的提问将爸爸的思绪拉了回来:"大禹治水之后,历朝历代都在治理黄河,可由于输沙量大和植被破坏等原因,水患还是不断。其至传说夏朝之后的商朝还因为水患屡次迁都,但也有学者说迁都主要是因为商朝的政乱。当时商王和商朝中的贵族生活日趋腐化,什么事情都压迫手下的奴隶去做,奴隶主和奴隶的矛盾越来越激化,商王的王位也成为贵族们争相夺取的目标。盘庚上台后,想避免矛盾继续激化,就决定迁都。但无论主要原因是什么,水患都是其迁都的原因之一。"

> **知识点**
>
> 殷,在今天的河南安阳,位于河南北部,地势西高东低,西部为山区,东部为平原。盘庚迁来此地之前,平原还没有被开发。迁殷之后,直到商朝覆灭,商再没有迁过都。现在的历史学家以盘庚迁殷为界,把商朝划分为前期和后期。

▲ 殷墟宫殿宗庙遗址

第二章 夏商西周

▲ 河南安阳：参观殷墟博物馆

第二章 夏商西周

> **小小地理家的话**
>
> 黄河的生态状况和人类的生活、经济发展息息相关,所以无论是以前还是现在,我们都要好好保护黄河,保护黄河植被。习近平总书记在黄河流域生态保护和高质量发展座谈会上,也提到了要加强黄河流域生态保护,坚持生态优先、绿色发展,因为绿水青山就是金山银山。爱护黄河要从现在开始。

爸爸话音刚落,琪琪便急切地问:"那最后商朝找到合适的地方定居了吗?"

"算是找到了,商朝经过数次迁都,直到商王盘庚将国都迁至殷后才稳定下来。以殷为都长达273年,这也是商朝又被称为'殷'或'殷商'的原因啊。"爸爸耐心地给琪琪讲解着。突然,他转而问琪琪:"孩子,你知道为什么商朝可以在殷定都这么久而不迁吗?"

琪琪突然被提问,先是一愣,随后双手撑着小脑袋思考起来,不一会儿便高兴地说:"是不是因为殷的自然灾害比较少,所以迁都到那里十分安全呀!"

"哈哈,没错,殷由于地势西高东低,西边的山脉对洪水有阻挡作用;加上当时还没有被开发,那里植被覆盖率很高,对洪水的抵御作用强,所以比较安全。殷都的东部平原土壤肥沃,利于农业发展。还有一个重要原因,迁都后一切要重新开始,王室和贵族们受到抑制,因此国内的矛盾得到了缓和。"

"原来在黄河流域发生过那么多精彩的故事呀!爸爸,您还知道哪些故事呢?琪琪还想听。"琪琪意犹未尽,朝爸爸眨巴眨巴眼睛。

"哈哈,孩子,一次性往脑袋里装太多东西意义不大,可能还会适得其反,明天爸爸再给你讲有关神权的故事,好吗?"爸爸摸了摸琪琪的头,笑着说道。

听到爸爸明天会讲关于神权的故事,琪琪高兴得直蹦。

传说中的玄鸟带来了商朝的诞生

玄鸟降生开殷商

"爸爸!"琪琪精力充沛的声音,打破了清晨的寂静。

正做饭的爸爸转过头来问:"怎么了,琪琪?"看着刚起床头发乱糟糟却活力四射的琪琪,爸爸不禁失笑。

"昨天您不是说要给琪琪讲神权的故事吗?我准备好啦!"琪琪边说边转圈,满脸是掩饰不住的兴奋。

"哈哈,好,我们先把早饭吃了,爸爸就给你讲,好吗?"

"好啊,好啊!"说罢,琪琪便乖乖先漱去了。

饭后,琪琪边帮爸爸收拾厨房边问:"爸爸,神权是真的神仙的权力吗?"

听了琪琪的问题,爸爸被儿子的天真逗得大笑:"哈哈,傻孩子,神权不是指神仙的权力,而是被当时人们所公认能与神明交流、明白神明旨意的占卜者的权力。因为他们能与神明交流,所以在百姓的心中,他们的意见代表着神的旨意,因此他们的权力是至上的。"

"那君王也必须听这些占卜者的吗?"琪琪拉着爸爸的手追问。

爸爸思索片刻,边向客厅走边慢悠悠地说:"在原始社会,上至首领,下至百姓,都很尊敬占卜者。但在奴隶社会,因为百姓更愿意相信神的旨意,君王就利用神权至上的观念形成了'神权法思想'。君王是占卜者之首,为了取得百姓的拥护,统治者把他们的权力说成是神赋予的,将利于他们的法律说成是神意,而殷商是神权法思想的极盛时期。'天命玄鸟,降而生商',传说殷契的母亲吞鸟蛋而生契。契是殷商的始祖,所以商朝的统治者宣称自己就是神的子孙,肯定其统治的合理性。"

"爸爸,这个世界上到底有没有鬼神呢?"

"世界上当然没有鬼神啦。古时由于人们认识自然现象的能力有限,不能解释人是从哪里来的等问题,应对水患等自然灾害的能力也有限,他们只好将一切事件都解释为神明的旨意啦。但随着科学技术的发展,人类

> **小小地理家的话**
>
> 其实，世界上是没有鬼神的。古时的人们因为对许多自然现象无法解释才相信有鬼神的存在，而统治者则是为了巩固自己的统治才借神的名义，但是现在能够用科学来解释自然现象，我们应该相信科学，依靠自己的力量实现自己的梦想。

认识自然能力的提高，越来越多的人相信科学而不是神明。即使有人会烧香拜佛，他们也不会指望愿望成真的，因为都知道这个世界没有神明存在，要想实现愿望，还得依靠自身的不断奋斗。"爸爸倚在沙发上缓缓地说。

听罢，琪琪突然站起来说："没错！连琪琪都知道，想要自身发展得更好，就只能通过自己的努力，不能依赖其他因素的！"

"哈哈，孩子，那你知道商朝都有哪些与神有关的活动吗？"看着故作成熟又坚定的琪琪，爸爸突然想考一考他。

琪琪想："不能丢脸，我一定知道的。"于是立马陷入了沉思，转动眼珠，挠挠头，最后还是放弃了。他只好拉拉爸爸的衣角撒娇地说道："爸爸，都有哪些呀，琪琪不知道……"

"哈哈，其中就有我们刚刚说过的占卜呀。商朝时，卜官在处理后的龟甲或兽骨的背面钻洞，快要穿透时，再用火灼烧，龟甲的正面钻洞的周围就会出现裂纹，这些纹路被称为'兆'，卜官便通过观察纹理来判断吉凶，之后再将卜的内容刻画在甲骨上。除了占卜以外，殷商人几乎每天都祭祀，祭祀也是国家的重要活动，他们有的祭天，有的祭祖宗，通常是为了祛除疾病和灾祸，祈祷平安而祭祀，希望天神能够庇佑自己和国家。"说罢，爸爸美滋滋地品了口茶。

不同于爸爸的优哉，琪琪则有些惊讶："好神奇啊，龟甲居然可以用来占卜。"

"是啊，但占卜的效果究竟怎么样，我们也不得而知啊……"爸爸意味深长地说。

甲骨文藏着商朝的许多秘密

甲骨文中画意足

"爸爸，我们去那边看看吧！"闹市中，琪琪蹦蹦跳跳地拉着爸爸朝游乐场跑去。

"走过路过别错过啊，少儿知识问答比赛，前三名免费在本游乐场游玩所有项目！"游乐场外的吆喝声引起了琪琪的注意："爸爸！我想参加比赛，拿个第一给您看看！"

看着斗志昂扬的琪琪，爸爸给他打气说："好啊，咱们去试试！"

"第一题，甲骨文最早出现在哪个朝代？抢答开始！"

▼卜骨，商朝

63

▼ 癸酉贞旬亡祸牛胛骨卜辞（商朝）

问题一出，琪琪大脑飞速旋转："甲骨文？甲骨？好耳熟啊……"琪琪喃喃道，不一会儿旁边便有人突然说道："是商朝！"

琪琪沮丧极了，难为情地瞧了瞧台下的爸爸，看见爸爸鼓励的眼神，琪琪立刻调整好心情准备抢答后面的题目。之后的九道题琪琪共抢答了五道，并且都答对了，最终琪琪以5分的成绩获得第一名，可以免费在游乐场玩一下午。

琪琪开心地跑到爸爸面前说："爸爸，我拿了第一呢！"

很快，琪琪又难为情地低头扯着自己的衣袖说："只是我不知道甲骨文最早出现在商朝，'甲''骨'这两个字我很耳熟，记得您之前讲过商朝占卜的事情，但我不确定甲骨文是不是最早出现在商朝……"

爸爸摸了摸琪琪的头说："哈哈，没事的，人无完人，都是要不断学习的，现在你知道这个知识啦，这也是收获啊。甲骨文呢，确实最早是在商朝出现的，主要是刻在龟甲或兽骨上用来占卜记事的文字，因此它也被称为'殷墟文字'或'龟甲兽骨文'，是黄河流域文化遗产中十分珍贵的一部分。"谈起甲骨文，爸爸兴致勃勃地说。

听了爸爸的话，琪琪的求知欲又被勾了起来，他把爸爸拉到安静的地方，好奇地问道："爸爸，甲骨文为什么这么珍贵呢？"

看着玩着泡泡机却又格外认真的琪琪，爸爸不禁觉得有些好笑："哈哈，乖孩子，因为甲骨文是中国历史上最早的一种相当进步的文字，从字体的数量和结构方式看，它已经是有比较严密系统的文字了。甲骨文是当今我们研究古代尤其是商朝历史的第一手资料，通过甲骨文记载的内容，历史学家们对商朝的政治、经济和文化状况得以更多的了解。"

"那甲骨文是什么样呀的？爸爸，和现在的文字一样吗？"琪琪继续问道。

"哈哈，和现在的某些字有点相似，爸爸搜给你看。"说着，爸爸拿起手机开始搜索，'看，琪琪，这就是甲骨文。"爸爸指着"鱼"字的甲骨文对琪琪说。

"哇！这个字好像画呀。爸爸，这是'鱼'字吗？"琪琪惊讶地看着眼前这个甲骨文字道。

爸爸点点头说："哈哈，一点也没错，就是'鱼'字。象形性是甲骨文一个很大的特点，很多字就像是画出来的。但直到现在，还有很多甲骨文没被破解出来，考古学家们还在努力探索中。有人猜测，在还没有破解出

历史文脉传承 上

马俊东《千字甲骨文

2013.5.25

AY 2013-1 (6-1)　　AY 2013-1 (6-2)　　AY 2013-1 (6-3)

邮票首发

第五组

南·安阳

▲《千字甲骨文》（第五组）邮票

来的文字里，可能会有关于夏朝的记载哦。"

琪琪高兴极了，跳着说："真的吗？如果真能找到的话，实在是太棒啦！"

"是啊，如果真有那么一天，就会举国轰动吧。"爸爸突然笑道，"哈哈，琪琪，爸爸都差点忘了咱们今天是来玩的。快去玩吧！"

"好的，等回去之后您再给我看看其他甲骨文吧。真是太有趣啦！"琪琪拉起爸爸的手又开始撒起娇来。

"哈哈，好！回去爸爸就给你看。"

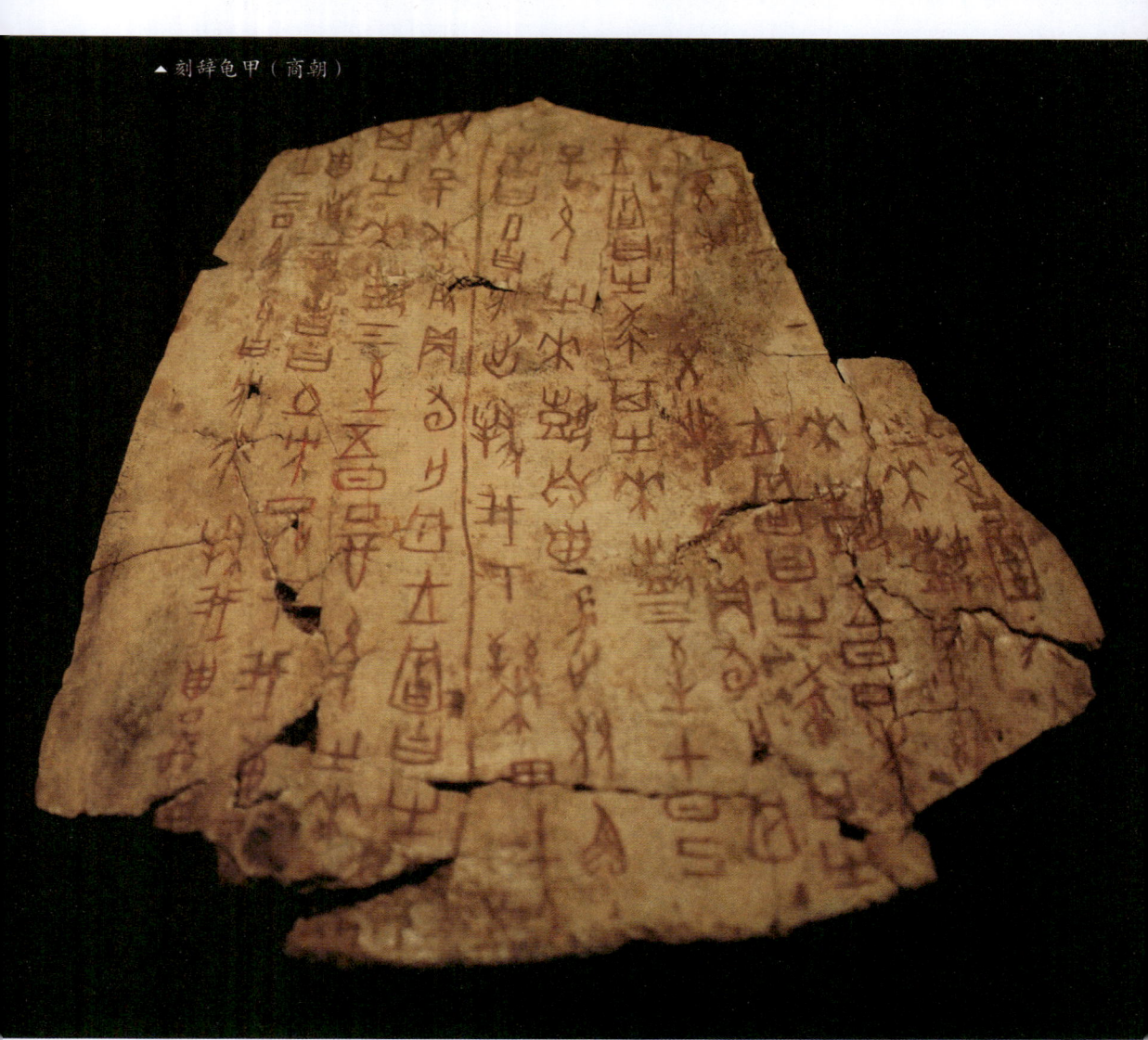

▲ 刻辞龟甲（商朝）

从炊具到礼器，青铜器见证了夏商周的辉煌

青铜灿烂鼎天下

博物馆内，琪琪拉着爸爸左看看右瞧瞧，最后停在了身上满是精巧的盘龙纹和饕餮纹的铜制方形容器前。"爸爸，这是什么？可真大呀！"琪琪好奇地眨着眼睛，扯扯爸爸的衣角小声问。

看着总是充满好奇的琪琪，爸爸指着展柜下方的名牌娓娓道来："这个就是著名的青铜器代表之一，商朝出现的后母戊鼎。孩子，青铜器反映着夏商周时期黄河流域的政治、经济和文化特征，是黄河文明的重要组成部分，这也是爸爸带你来这儿的原因。"

知识点

夏朝，中原文明从石器时代过渡到青铜时代，但当时青铜器的饰纹简单，种类也很少；商朝时青铜器逐步摆脱陶器的影响，开始形成自己的风格样式，种类繁多；西周青铜器分布地区很广，生产水平大幅提高，青铜农具得到较普遍的使用。青铜器的快速发展，形成了灿烂的青铜文明。

琪琪一惊，没想到青铜器中竟藏着这么多秘密，太不可思议了："爸爸，青铜器是用来干什么的？"

"不同时期青铜器的用途不一样哦。夏朝时，青铜器凤毛麟角，只有简单的容器和兵器；到商朝，则出现了许多制作精美的礼器、酒器和食器等，西周青铜器又得到了长足发展，有了盛食器类、饮器类、水器类、酒器类和乐器类，纹饰也得到了很大发展，更多地采用重环纹、蛟龙纹等意象活泼、和谐的纹饰。"爸爸看着眼前的青铜器慢慢讲道。

琪琪听着，眼睛直勾勾地看着眼前的后母戊鼎，想从它身上看出那时所有的故事："爸爸，那鼎是用来干吗的呢？"

"鼎啊，在商朝既是炊器，又是礼器。爸爸前几天不是给你讲过，商朝经常举行祭祀活动吗？这礼器就是用于祭祀的。琪琪你看，鼎上铸的盘龙纹和饕餮纹在古代都象征着祥瑞，铸上这些纹饰，礼器就更具有威武厚

历史文脉传承 上

70

◀ 商周青铜鼎

第二章 夏商西周

▶ 带鋬弧形青铜器

重感了。"爸爸拉着琪琪的手向展柜走近了些，指着纹路向他讲解着。

"真是这样。那么在青铜器中，只有鼎是礼器吗？为什么这么多青铜器上都有花纹呢？"琪琪指着展厅内的其他青铜器问。

"当然不是啦。礼器的种类很多，除了夏朝的礼器上没有复杂的纹样外，其他的礼器上基本都有。展厅里陈列的都是礼器，你知道它们是什么吗？"爸爸指着展厅内的其他文物说。

> **小小地理家的话**
>
> 夏商周时期又被称为青铜时代。青铜器在夏商周人们的生产、生活中占据着重要地位。青铜时代初期即夏朝时，青铜器还不常被使用，而以石器为主；进入中后期即商周时期，青铜器的比重逐步增加。商朝晚期到西周早期，青铜器发展达到顶峰，形成灿烂的青铜文明。青铜文明是黄河文明十分重要的一部分，我们应该传承和弘扬优秀的黄河文明，保护青铜文明。

爸爸话音刚落，琪琪就赶紧跑到各个展柜面前，学着爸爸的样子，一边看着展柜下方的名牌一边念："簠、盂、觥、钟、爵、尊、壶、鼓……好多啊，都数不过来啦。"

"是啊。琪琪，你知道这么多青铜器主要分布在哪里吗？"爸爸来了兴致，推了推眼镜。"这我知道！夏商周的都城都分布在黄河流域，因此青铜器应该也分布在这里！"琪琪深信自己分析得合理，自豪极了。

"没错，青铜器确实主要分布在黄河流域，但现在考古学家们在下至长江中下游，上至北京等很多黄河流域之外的地方，都挖出了商周的青铜器，这是为什么呢？"爸爸眉头紧蹙，故作疑惑。

琪琪挠了挠头，不一会儿便激动地叫道："爸爸，我想起来啦！"

"嘘，小声些，琪琪，博物馆内不许大声说话哦。"爸爸摸摸琪琪的头，小声提醒着。

"爸爸，对不起。"琪琪压低声音，"是不是因为西周实行的是分封制，青铜器和它的制作工艺被分封到各地的诸侯带到黄河流域以外的地区了？"

爸爸喝了口水，赞赏地点点头："不错。西周之前的商朝实行的是方国联盟制度，同样也使青铜器的分布范围有所扩大，因此夏商周青铜器的分布范围是逐渐扩大的。这就是青铜文化表现出当时的政治特征。"

▲ 河南博物院藏青铜器精品展

周礼影响深远，塑造了中国的许多传统习俗

周礼文明万世传

琪琪在爸爸的带领下第一次参加婚宴，找到了合适的位置坐下。刚坐定，琪琪便迫不及待地问爸爸："爸爸，为什么表哥结婚要请这么多人来吃饭呢？"

"因为这是你表哥的人生大事，自然要隆重些，请亲友作见证啊。"爸爸将目光转向琪琪，"琪琪，你知道中国婚礼的习俗是从什么时候开始的吗？"

琪琪小嘴一抿，眼珠转来转去，仿佛在大脑中搜索答案，过了一会儿有些泄气地说："爸爸，我不知道。是在新中国成立后吗？"

"哈哈，婚礼的习俗可以追溯到周朝呢！"爸爸笑着说。

"周朝？婚礼习俗传承了这么久吗？"

爸爸点点头说："没错，婚礼的习俗在《周礼》中就出现了。《周礼》是西周的政治家、思想家、文学家、军事家周公旦撰写的。现在除了婚礼外，还有丧礼、接待宾客的礼仪和阅兵仪式，以及小孩成年时举行的成人礼等礼节，都是对周礼文明的传承与创新。周礼潜移默化地影响着周朝人的思想行为，对后人的思想观念也有很大的影响。"

知识点

周礼分为礼、乐、法三个方面。礼包括有：吉礼，也就是祭祀之礼（在原始社会已有）；凶礼，就是丧葬之礼；宾礼，则是处理日常社交关系的礼仪；军礼，即军队日常操练、征伐和凯旋时所用礼仪；嘉礼就是庆祝喜事的礼仪。由于各阶级的礼仪和所用礼器不同，所以，礼具有等级化的特点。乐是统治者为了化解因为礼的等级化引起的对立和矛盾而采用的方式。法则是礼制正常推行的保障。由此可见，周礼是一套十分具体完善的礼乐制度。

▲ 婚宴现场

爸爸的话音刚落,琪琪马上提出了自己的疑问:"这些只是礼仪啊,为什么会影响人们的思想观念呢?"

爸爸欣慰地笑着说:"这个问题提得很好。之所以周礼能够影响人们的思想观念,是因为那个时候的宗法制,长幼、尊卑、亲疏区分非常分明,不同身份的人在各种仪式中的待遇是不同的,不同阶级的仪式也是不同的,所以中国人的家庭观念都很强,直至现在尊老观念也一直影响着人们。加上在维护礼制中,法律也发挥着很大作用,因此法制观念一直影响着周朝人,甚至影响着现在的中国人。"

听了爸爸的话,琪琪有些惊讶:"原来远在几千年前,中国就有了法制观念啊,真

> **知识点**
>
> 周礼共有三个功能,分别是区别贵贱尊卑;稳定国家和社会;明确法度,教化子民。周礼的本质是维持宗法制下社会成员之间关系的等级秩序。

> **小小地理家的话**
>
> 虽然现在的中国已经没有周礼了,但是周朝留下的重视家庭、尊老观念,以及法度精神等优秀中华传统文化,我们应该好好地践行和传承下去。2019年,习近平总书记在黄河流域生态保护和高质量发展座谈会上提到,希望守好老祖宗留给我们的宝贵遗产。这些精神正是他们留下的宝贵遗产啊。

是不可思议!"他感慨之后,又仰头问爸爸:"那周朝为什么要设立礼乐制度呢?"

爸爸说道:"周礼是统治者为了统一领土内各族人民的礼乐内容而设立,以此来扩大周文化的影响力,维护宗法制的等级秩序,最终达到巩固统治的效果。当然,周朝以前的祭祀文化以及中国世代定居的农业经济都对周礼的形成有促进作用。"

琪琪越听越迷糊,噘着小嘴说:"爸爸,为什么农业经济会促成周礼的形成呢,它们有什么关系吗?"爸爸刚说完,琪琪便问。

"哈哈,孩子,它们之间的关系可大啦。因为古时的农业经济讲究男耕女织,互相配合着工作,并且因为农业经济不像游牧经济需要随时迁徙,在农业经济下,人们会世代定居在同一个地方,会很尊重自己的祖先。因此,农业经济和周礼不仅有关系,还是周礼产生的社会经济基础呢!"爸爸拍了拍琪琪笑着说。

琪琪一脸崇拜地看着爸爸:"爸爸,您怎么这么厉害啊,什么都知道!"

"哈哈,孩子,能够提出问题,你也很厉害啊!"爸爸赞赏地看着琪琪说道。

"嗯嗯,我明白啦!"

这时,婚宴就要开始啦,热菜也要上了。爸爸说道:"孩子,要开宴啦,快去洗手吃饭吧。"

周朝的分封制就像一个大拼图，每一块土地都有它的故事……

分封天下诸侯起

婚宴毕，琪琪就跟着爸爸回家了。一到家，琪琪突然问："爸爸，您说到礼乐制能够维护宗法制，这个宗法制又是什么呢？"

爸爸面对琪琪的突然发问，先是一惊，随后又变为欣喜："哈哈，原来琪琪这一路都在思考呢，你真棒！"爸爸摸了摸琪琪的头，慢慢讲道"宗法制，是一种用血缘宗族关系来分配政治权利的制度，它的核心就是嫡长子继承制。嫡长子就是正房妻子生的大儿子，是父亲权力和财产的主要继承者。因为地位尊贵，嫡长子也被称为大宗，而他的亲弟弟和同父异母的兄弟都是小宗，这些都具有很强的等级秩序。所以礼乐制中的等级性，有利于维护宗法制的等级秩序。"说罢，爸爸抿了一口刚沏好的茶。

> **知识点**
>
> 在周朝，宗族中分大宗和小宗。周王自称天子，是天下的大宗。天子的嫡长子是下一任天子，而其他儿子成为诸侯。诸侯在天下范围内是小宗，但在自己的封国里就是大宗。诸侯到卿大夫再到士也是如此层层进行分封。因此大宗都是嫡长子继承，大宗具备对宗族成员的统治权和政治特权。

"爸爸，周朝为什么要设宗法制呢？"趁爸爸喝茶的间隙，琪琪连忙提出自己的疑问。

爸爸放下茶杯回答道："周朝制定宗法制的目的，主要是为了巩固分封制形成的统治秩序，保证王权的稳定呀。"

琪琪挠挠脑袋，心想到底还有多少自己不知道的事啊。于是问道："爸爸，我有些疑惑，分封制又是什么呢？"

"哈哈，你别急，未来还有很多东西需要你去学习。时间还长，我们一起慢慢了解吧。"意识到琪琪有些失落，爸爸连忙安慰，琪琪情绪缓和了许多。他拉着爸爸的手说："我知道啦。爸爸，这就是您经常说的，活到老，学到老，是不是？"

"哈哈，是啊。"爸爸欣慰地笑道。

"爸爸，快给琪琪讲讲分封制的故事吧。"琪琪边说边搬来小板凳在爸爸跟前坐下。

爸爸摸了摸琪琪的头，说道："分封制呢，是除了我们之前提到的礼乐制和宗法制之外，周朝又一种非常重要的政治制度。周天子把土地分给诸侯，让诸侯听从他的号令，上缴贡赋，从而保证王室的权威。而西周后期，分封制开始遭到破坏，到了秦朝分封制就彻底被取代啦。"

"爸爸，为什么巩固的统治制度会在后来被破坏呢？"琪琪的眼睛里满是好奇。

爸爸笑着摸摸琪琪的脑袋说："孩子，每一种制度都是在特定的历史环境下形成的，而社会环境是不断改变的，不适应当前社会环境的制度就会被淘汰。分封制成就了周朝前期的兴盛，但也正是因为周天子赋予了各地

▼ 黄河河道景色

知识点

分封制的形成和发展十分漫长，周朝是分封制发展的高峰。周朝得到分封的是王室子弟、功臣或古代帝王的后裔，封地被称为"诸侯国""封国"或"藩国"，封地里的君王被称为"诸侯"或"藩王"。诸侯需要为周天子镇守邦畿、追随天子作战、缴纳贡赋和觐见述职。

诸侯非常大的权力,诸侯国拥有很强的独立性,所以在西周后期,随着封国的日益强大,王权就被削弱了,分封制也遭到了破坏。不过正因为分封制,周朝的文化才延伸至整个黄河中下游区域,家庭观念、尊老等观念也成了黄河文化中重要的一部分。"

"啊,我知道啦!"琪琪突然激动地跳起来,"这也是我们中国要根据自己的国情来建设中国特色社会主义制度而不是照搬马克思主义的原因,对吗?"

爸爸有些惊喜地说道:"琪琪,你是怎么知道这些的呢?"

琪琪看爸爸如此意外,便颇为骄傲地说:"我听老师们聊天的时候讲的。"

"哈哈,琪琪真棒!"爸爸摸摸琪琪的头夸奖道。

> **知识点**
>
> 周朝的分封制,使边远地区得到开发,统治范围得以扩大,周朝文化的影响范围也得到了扩大。

历史文脉传承 上

《诗经》里的诗歌就像一幅幅生动的画面，让我们一起走进西周，感受那些古老而美丽的故事吧⋯⋯⋯⋯

诗经风雅颂黄河

"爸爸，《诗经》是谁写的呀，为什么您那么喜欢呢？"看着爸爸又在读《诗经》，琪琪好奇地问。

爸爸见琪琪对《诗经》好奇，非常高兴，长吁一口气，说道："哈哈，孩子，《诗经》可不是一个人写成的，甚至不是一个朝代的人写成的，它是由很多没有留下姓名的民间作者以及贵族文人创作的。《诗经》是中国最早的诗歌总集，也是中国诗歌的开端。"

"那里面最早的诗是什么时候的呀？"

"就是周朝呀。琪琪，《诗经》中最早收录的作品就是西周初期的。当时，人们居住在黄河流域，土地肥沃，农业发展很快，促进了社会的进步，民间作者在农业生产中产生了灵感。再加上西周取代殷商后，将矛盾激化的奴隶制改成了农奴制，经济制度的改变，促使精神文明也有了巨大的进步，《诗经》于是就诞生啦。"爸爸一谈起《诗经》，就滔滔不绝。

琪琪也听得认真极了，爸爸刚一说完，他就迫不及待地问："那些诗里都讲了些什么呀，爸爸？"

听到琪琪的提问，爸爸的话匣子又打开了，他一脸认真地看着琪琪说："哈哈，《诗经》因为既有很多民间作者的诗，又有贵族文人的诗，所以它涉及的内容十分广泛。比如各种劳动场景、风俗、婚姻和爱情、祭祖与宴会，以及战争的场面和身处其中的情感，甚至自然界等方方面面都有涉及。根据所写的内容，《诗经》被分为《风》《雅》《颂》，所以很多人说《诗经》是周朝的镜子，这也是很多人喜欢它的原因之一啊！"

"《风》《雅》《颂》？"琪琪先是歪着脑袋喃喃自语，随后又拉着爸爸的衣角问："爸爸，《风》《雅》《颂》又是什么呢？"

▼黄河风光

知识点

《诗经》收录了从西周初期到春秋时期的诗歌,主要分布在黄河流域,以民间创作者为主,其次为贵族文人。

看着琪琪颇有打破砂锅问到底的样子，爸爸高兴极了，喝了口茶便立马讲道：“《风》，主要是各个地方的民歌，其中有关于劳动和爱情的美好，也有怀念旧人、反抗统治者和残酷战争的哀怨以及愤慨。《雅》呢，又分为《大雅》和《小雅》，《大雅》主要是贵族文人写的关于贵族祭祀的诗歌，《小雅》还收录了一些民歌。《颂》呢，就全是关于宗庙祭祀的诗歌啦。现在《风》篇中很多诗还被改编为歌曲传唱，现在也仍然受到人们喜爱。虽然《雅》和《颂》被传唱得很少，但是对我们研究周朝历史来说，也是非常重要的文献资料。”

琪琪听到有些诗被编成了歌曲时，惊喜极了，马上问：“爸爸，是什么诗被编成了歌，琪琪好想听！”

"好！爸爸这就给你找。"找歌的同时爸爸又补充道，"最经典的便是由《诗经》的《蒹葭》改编成的《在水一方》了，以后琪琪也会学习这首诗的。"

听完歌后，琪琪兴奋地叫道：“哇！这首歌好美啊！这首诗肯定也非常美！我也想读！”于是又拿起爸爸刚放下的书，示意爸爸翻到那首诗。

爸爸很快就翻到了《蒹葭》这首诗。

"蒹葭苍苍，白露为霜，所谓伊人，在水一方……"结合注解读完之后，琪琪更兴奋了，"太美了，爸爸，我好像都看到那个画面了！难怪爸爸那么喜欢呢，以后琪琪也要读！"

"好啊，琪琪，以后你和爸爸一起读！"爸爸摸着琪琪的脑袋，十分高兴。

小小地理家的话

《诗经》是中国第一部诗歌总集，也是最早的现实主义诗集。分为《风》《雅》《颂》，反映了当时的政治、经济和文化特征，也是黄河文化十分重要的内容。因为《诗经》里的诗最初的状态就是歌，所以现在将其中的诗编成歌，让诗呈现出最原始的样子，更有益于《诗经》的传承，也有益于黄河文化的传承。小朋友们也可以听一听由《诗经》改编的歌哦，相信你们会爱上它的！

西周的农田里藏着古人的智慧，从排水到农具，每一步都让农业更加繁荣。

农耕文明愈繁荣

"西周的农业到底发展到什么程度了，人们居然因为它的发展创造了这么多优美的诗歌。"琪琪看着《诗经》说道。

见琪琪如此好奇，爸爸摘下眼镜笑着说："孩子，想听有关西周农业发展的故事吗？"

琪琪立刻放下《诗经》坐到爸爸旁边，摇着爸爸的胳膊说："想听，想听，爸爸快给我讲吧！"

"哈哈，别急，爸爸慢慢给

> **知识点**
>
> 夏朝时黄河流域已经不只是依靠自然食物生活，原始农业和牧业开始发展，人们已经会种植粮食和饲养猪、狗、牛、羊、马了。商朝初期，以发展畜牧业为主，到中期，农业成了重要的生产部门，与农业生产有关的内容在占卜中占有很大的比重。到了西周，农业就成了决定性的生产部门了。

你讲。"爸爸喝了口茶说，"那时，农业生产就已经是社会的第一生产部门，很多时候都是数以万计的人一起参加耕作，规模十分庞大。"

"为什么当时农业发展得这么快呢？"琪琪满脸认真地继续问道。

"孩子，把《诗经》拿过来翻到《诗经·大雅·绵》那一页，好吗？"爸爸摸着琪琪的头说。

"难不成这秘密就藏在《诗经》里吗？"琪琪兴奋地拿来《诗经》，翻到那一页。

"你瞧这句话，琪琪。"爸爸指着书上"乃疆乃理，乃宣乃亩。自西徂东，周爰执事"说，"你知道这句诗是什么意思吗？"爸爸卖起了关子。

琪琪根据这几天读《诗经》的经验，一个字一个字比对着下面的注解，不一会儿便说："爸爸，这句话的意思，大致是划分土地来治理，于是开渠又垦荒，从西到东，要管各种杂事。对吗？"

看着如此认真的琪琪，爸爸十分欣慰，摸摸琪琪的头笑着说：'琪琪真

> **知识点**
>
> 井田制在商朝制定，在西周时得到完善。土地被划分为方块，为"井"字形，所以这种制度就被称为井田制。井田之间的灌溉系统被称为遂、沟、洫、浍，和它们对应的道路系统被称作径、畛、途、道等。这种小型排水系统建设的经验，也让之后大规模的水利工程建设成为可能。

聪明。西周时，人们对土地的整治和排灌沟渠的要求已经很讲究了，当时土地被划分成许多方块，方块之间用水沟隔开，既方便管理，也利于排水，防止土地盐碱化，能有效地利用黄河水资源。"

▲ 黄河两岸农田

小小地理家的话

从西周的农田排水机制,就可以看出防止土壤盐碱化十分重要。以前没有办法在灌溉方式上改进,只能加强排水机制的建设,现在我们从灌溉方式上就可以解决这个问题,也就是通过滴灌和喷灌技术来实现。技术的不断发展和进步,为现在农业解决问题奠定了很好的基础,才使现代农业能够发展得更好。

"爸爸,盐碱化是什么呀?"听到这个新名词,琪琪大大的眼睛里充满了好奇。

"盐碱化啊,就是农作物本来不需要那么多水,但当时灌溉技术不发达,农民会灌很多水,随着水分蒸发,土壤本身含有的盐分就留在了土壤表层,长久累积起来,土地就出现盐碱化的现象。盐碱化的土壤不利于农作物生长,所以要防止出现这种情况。"爸爸耐心地解释道,"不合理的灌溉,既会导致土壤盐碱化,还浪费水资源,所以现在人们发明了滴灌和喷灌技术,而西周时人们就能想到将漫灌的水排出去,也是相当了不起。"

"咦,那个时候就知道防止盐碱化了,古人太有智慧啦。"琪琪惊喜地说。

"哈哈,对呀,古人充满了智慧,所以我们才要传承古代文明,为我们提供借鉴。"爸爸喝了口茶笑着说,"而且西周农业发展的程度还远不止这些呢。"

琪琪是最好的听众,立马集中精神,迫不及待地撒娇道:"那还有哪些呀,爸爸快说嘛。"

"哈哈,西周啊,在农具上也出现了变革,出现了一些锐利的金属农具,还研究出了很多堆肥和治理害虫的方法,这些耕作技术的变革,让西周的农产品种类更多样了;而且当时耕作方法也有进步,出现了两个人一组,一起耕作的耦耕方式,这样耕作既省力又能提高效率,所以才能够扩大垦荒规模,形成万人耕作的场景。"爸爸笑着慢慢说道。

▼黄河两岸农田

从大禹治水到小浪底工程，水利建设一直在守护着我们⋯⋯⋯⋯

水利发展造福音

"哇！爸爸，帮我照一张照片，好不好？"琪琪看到喷涌而出的黄河水兴奋地喊道。琪琪向来不主动要求拍照，这次面对如此壮观的景象，破天荒地想留个纪念。

"哈哈，好。琪琪站好哦，3、2、1。"咔嚓一声，站在小浪底水利枢纽工程前，既兴奋又有些紧张的琪琪被定格下来。随后，琪琪又请别的游客帮他和爸爸拍了一张合影。

拍好后，琪琪拉着爸爸走到离工程更近一些的位置，问道："爸爸，这个是做什么的？"

"这就是著名的小浪底水利枢纽工程。它是一个具有减淤、防汛、防凌、供水灌溉和发电等多种功能的大型综合性水利工程。"爸爸看着开心的琪琪，心里高兴极了。

"哇，真了不起。"琪琪看着眼前的小浪底水利枢纽工程，惊讶地说道。

琪琪突然激动地望着爸爸问："那爸爸上次说的西周井田制的排水系统也是水利工程吗？"

"没错啊，排水系统也算是早期的水利工程，虽然功能不能像现在的这样完善，但在中国历史上也是很大的进步。"爸爸摸摸琪琪的头，笑着说，"其实早在夏朝的时候，黄河流域的原始水利就开始发展，除了大禹治水之外，那时已经有了凿井技术，人们已经会利用水从高处向低处流动的特点来引水灌溉了；到了商朝，出现了一种新的灌溉技术，就是挖一条沟，把庄稼种到沟里，便于灌溉；到了西周，灌溉排水方法逐渐形成系统，更加成熟了。"

琪琪边看眼前的小浪底水利枢纽工程边问："爸爸，为什么从古代到现在，人们都这么重视水利建设呢？"

"水利建设，对人们的生命财产安全和经济发展都有很大影响。琪琪还记得大禹治水的故事吗？"爸爸反问道。

"记得呀！大禹为了治理洪水，三过家门而不入呢！"听到熟悉的故事，琪琪兴奋极了。

爸爸欣慰地笑了笑说："哈哈，琪琪真棒！当时正是因为黄河水患让人们无法生存，才有了大禹治水。大禹治水就是防洪，这是一种水利建设。引水灌溉和排水系统的修建也是一种水利建设，可以使农业灌溉更加高效和科学。水利建设促进了农业的发展，农业的发展促进农产品增多，促成了交换的发生，从而促进了社会经济的发展与变革，为经济发展奠定了基础。"

"啊，我明白了。那除了黄河流域，其他地方也有水利工程吗？"琪琪又问道。

"哈哈，当然有。除了黄河，长江、珠江等水系都有相应的水利建设。

> **知识点**
>
> 大禹治水，利用了水从高处向低处流动的特点，开辟沟渠引水进行灌溉，还掌握了修建田埂来进行排灌的技术。商朝屡次迁都，其中水患是其重要原因，但这一时期记载的治水措施非常少。

▲ 小浪底水库

▲ 黄河小浪底枢纽工程

只是由于黄河流域是中华文明诞生的摇篮，是最早开发的地区，因此黄河流域的水利工程是最早建设的。"爸爸耐心为琪琪解释着。

"那黄河流域真是为中国的水利建设开了个好头呢！"琪琪激动地说。

爸爸看着琪琪的模样，为琪琪的话点赞："哈哈，没错，琪琪太棒了！"

小小地理家的话

水利建设十分重要,不仅对农业经济有促进作用,还为商品经济的发展创造了条件,并且对人们的生命和财产安全也起到了很好的保护作用。所以从古至今人们都十分重视水利工程建设。这也是中华文明得以欣欣向荣的原因之一。夏商周时期的水利建设,虽然非常原始,但它不仅为以后的水利建设提供了基础,还促进了农业的发展。

第三章 春秋战国秦汉

黄河文明的发展

从春秋战国到秦汉王朝（公元前770年—公元220年），中国经过近千年的风雨洗礼，实现了从分裂动荡走向太平盛世的宏伟转变。这期间伴随着改革、创新、交流与融合，无论是经济、政治还是文化，中华民族都有着十分显著的变化，这也为华夏文明的传承奠定了坚实基础。

黄河文明是中华文明的源头。在春秋至秦汉的这段历史中，政权的兴替、人口的分布、生产工具的诞生以及文化的发展无不与黄河流域息息相关。总而言之，春秋至秦汉时期，是黄河文明的大发展时期，这一阶段的黄河文明以异彩纷呈的姿态涌入历史长河，对后世文明的发展起着至关重要的作用。

由于春秋至秦汉，时间跨度长，前后差异较大，因此在这里将其分为春秋战国时期和秦汉时期分别阐述。

春秋战国时期，指公元前770年至公元前221年这段时间，彼时黄河在今河北和山东之间摆动入海。虽然这一时期中国呈大分裂局面，但实际上大多数诸侯国的主要活动范围都在黄河中下游区域。春秋战国时期，是奴隶社会向封建社会过渡的大变革时代，伴随着社会转型的进程，黄河文明也实现了勃兴与发展。

黄河文明是以农业为基础的文明。这一时期，始于商朝成熟于西周的井田制渐渐瓦解，土地私有制逐步确立，以小农经济为主体的农耕经济开始形成。人们的劳动积极性大大提高，人口增多，粮食需求量增大，促使铁器牛耕技术的产生与应用。这些都有力地促进了生产力的飞跃，带来了农耕文明蓬勃发展的繁荣景象。

周王室衰微后，礼崩乐坏，黄河流域这片土地上涌现出了众多知名的学术流派，形成了历史上著名的百家争鸣局面。这场思想交流掀起了中国历史上第一次思想解放潮流，同时也奠定了中国思想文化的坚实基础；除去百家争鸣外，春秋战国时期黄河流域在文化方面的成就，还表现在天文、文学、医学、艺术等诸多领域，青铜纹饰就是其重要代表之一。

黄河作为我国的第二大长河，拥有丰富的自然资源，它既能为人类带来福音，也能给人类带来灾难。人类对黄河作用的发挥具有关键的影响力。春秋战国时期，黄河流域的大型水利工程逐渐兴起，这也在一定程度上丰富了黄河文明的精神内核。郑国渠就是春秋战国时期十分成功的一项水利工程，虽说它是以一场政治阴谋为开端，但它确实起到了造福后世的实际效能，于是它成了一段佳话，被传唱至今，在歌颂郑国智慧的同时，也记录着黄河的璀璨文明。

秦汉时期包括秦朝、西汉、东汉，是我国封建社会的初步发展阶段。

秦灭六国后，建都陕西咸阳，以黄河流域为中心，创立了我国历史上首个专制主义中央集权制度的封建王朝。其后的西汉与东汉政权分别建都在今陕西西安和河南洛阳，也都是以黄河流域为中心。可见秦汉时期的文明发展，也离不开黄河的滋养。

秦始皇一统天下后，原本因分裂割据而分段管理的黄河又恢复了统一，对黄河的管理与利用有了更加便捷的条件。统治者在历史的经验总结中看到了黄河的重要性，对水利事业的投入大大增多。秦渠为宁夏平原带来了发展的新活力，开创了当地灌溉农业的历史，成为利用黄河的典范。

两汉时期，黄河流域的人们不仅在防治黄河泛滥上有着丰硕成果，在开发水力资源、发展灌溉农业上颇有成就。其中较为知名的案例就是东汉时期王景治黄的故事。王景采用了筑堤和分流相结合的方式，有效地控制了黄河泛滥成灾的局面，有力地促进了当时农田灌溉和漕运事业的发展。

秦汉时期，随着专制主义政治体制的确立，国家需要统一的学术形态来维护多民族国家的稳固。秦王朝在思想文化领域，由博采众长转向以法为教、以吏为师的文化专制。汉王朝则提出"罢黜百家，独尊儒术"的文化政策，从此儒学的正统地位得以确立。这对后世儒学成为黄河文化的主流，具有深远的影响。

东汉蔡伦改进的造纸术，作为中国古代四大发明之一，对人类文明的发展和社会进步都起到了极为显著的作用。此外，秦汉时期的黄河文明还包括：《九章算术》，在数学上取得的成就；《伤寒杂病论》，奠定了中医临床医学理论基础，等等。阴山岩画作为河套文明的重要组成部分，对研究中国北部游牧民族的历史变迁具有重要的史学价值,同时也是黄河文明的瑰宝。

秦汉时期的黄河文明,除了在水利、文化上有所表现外,民族关系的发展也是其重要的组成部分。两汉时期,中国统一的多民族国家规模比秦王朝更大,各民族间的交流与融合、摩擦与碰撞也不断增多。这期间,浩

浩荡荡的黄河见证了一位气度非凡的女子维护汉匈友好关系的半生时光。昭君墓作为一种民族友好的象征，一种强大的精神力量，为中华文明增添了浓墨重彩的一笔。

翻开春秋至秦汉这一段漫长的黄河文明史，有太多的内容值得我们去学习和品味。

▲ 内蒙古自治区呼和浩特，昭君博物院（昭君墓），景区大门外景（南门）

历史文脉传承 上

铁犁牛耕让古代农业大步前进，黄河边的智慧故事等你来发现……

铁犁牛耕创辉煌

周末，爸爸带着琪琪到乡下老家散心。

"爸爸，还是老家好玩儿。"琪琪手里握着刚刚从树上摘下来的李子，笑得两眼眯成了缝。

"是啊，记得当年……"爸爸的话还没说完，就被琪琪打断了。

只听他扯着嗓子满是惊喜地嚷嚷："爸爸，快看那边！"爸爸顺着琪琪指引的方向看过去，田野的尽头，一位老伯正卖力地赶着牛在田地里行进，时不时还传来几声隐隐约约的吆喝声。

琪琪早就耐不住性子，摩拳擦掌地想要往那边冲，爸爸回过神来，忙抓住琪琪的后衣领子："你看你这急性子，这田埂路窄得很，你小心些。"琪琪满脸委屈地说："可我就想过去看看，以前只在书本上看到过这种场景。"

"别急，我陪你慢慢走过去。"爸爸说，"你知道那位老伯在干吗？"琪琪满脸自信地答道："我当然知道啦，老伯为种庄稼做准备。"爸爸听完笑了笑又问："那你听说过铁犁牛耕吗？"琪琪这下被问住了，支支吾吾，有些不好意思地说："爸爸，这我还真没听说过，您就别卖关子了，跟我讲讲呗。"说罢，还俏皮地朝爸爸眨了眨眼，把爸爸逗得哈哈大笑。

"铁犁牛耕，顾名思义啊，就是利用铁犁和牛来耕种田地。但这种耕作方式的出现，可要追溯到春秋战国时期。"

琪琪瞪大了眼睛，指着远处的

> **知识点**
>
> 原始农业阶段，人们采取的是"刀耕火种"的耕作方法，商周时期则采用"石器锄耕"的方式，到了春秋战国时期，铁农具和牛耕开始出现，也就是我们这里说的"铁犁牛耕"的耕作方式得以应用，这种耕作方式极大地提高了当时的农业生产效率。

老伯，惊讶地对爸爸说："也就是说，早在几千年前，人们就在用这种方式种庄稼了？"

"哈哈，是啊！还记得我之前跟你讲过的春秋战国的故事吗？"爸爸向琪琪挥了挥手，示意他走慢一点。

琪琪忙凑到爸爸的身边，一手叉腰，喃喃说道："记得记得，春秋五霸、战国七雄……"爸爸拍了拍故意搞怪的琪琪的小脑袋，继续道："春秋战国是中国历史上社会大变革的一个重要时期，它还有一个特点，上次忘了跟你说，无论是'五霸'还是'七雄'，都主要分布在黄河流域。"

"又是黄河……"琪琪摸了摸下巴，忽

> **知识点**
>
> 春秋战国时期，黄河在今河北、山东两省之间摆动入海。除了吴国、越国，齐、晋、燕、赵、秦等国的主要活动范围都在黄河中下游地区，因此春秋战国时期的社会发展与黄河流域的文明是不可分割的。

▲ 铁犁

然抬头说,"爸爸,我知道了!上次我们聊到黄河能带来水源和肥沃的土壤,这次再加上先进的耕作方法,那农业发展就指日可待啦!"

"也可以这样理解,但更准确地说,应该是黄河流域这片土地孕育出了'铁犁牛耕'这种跨时代的耕作方法。你想啊,黄河将当时的人们吸引聚集在其附近,人们在这里生存繁衍,但随着人口的增多,以往的生产力水平已经不能满足他们的生存需求了,所以生活在黄河流域的祖先们就凭借他们的智慧创造了一种新的耕作方式——铁犁牛耕。铁器工具远比以前的工具坚硬好用,牛耕的普及也节省了人的劳动。这种方式的实行和推广可是社会生产力的一大突破,它大大提高了耕作质量和效率,同时也标志着我国精耕细作的农业发展模式的初步形成。"爸爸见琪琪听得入神,便接着说,"黄河被人们称为母亲河的重要原因之一,就在于它是农业文明的发源地。"

听完爸爸的讲述,琪琪连连点头,满脸景仰地说:"爸爸,古人真的好伟大啊,能够创造条件,促进自身发展。他们创造的铁犁牛耕,到今天依然发挥作用,想想都觉得很了不起。"

爸爸抿嘴笑了笑,拉过琪琪的手认真地说:"孩子,再伟大的文明都是人创造的,只要肯下功夫,说不定你也能成为被后人佩服的人呢。"

"嗯!我要努力学习,以后也要成为一个伟大的人。爸爸,黄河文明的故事好有趣,我还想听……"琪琪抓着爸爸的袖口晃了又晃。

爸爸哈哈一笑,推开琪琪的手,将两只手背在身后径直朝赶牛耕地的老伯走去,口中还故意模仿着茶馆的说书人念道:"今日困了,欲知下个故事,请听下回再讲。"

> **小小地理家的话**
>
> 铁犁牛耕是我国古代农业生产的主要方式之一,它极大地推动了社会生产力的发展。随着社会的进步,我们进入了信息发展的新时代,铁犁牛耕在农村愈发少见,但我们永远不能忘记这一文明。

春秋战国的百家争鸣，就像一场精彩的思想盛宴，为我们留下了宝贵的文化遗产

百家争鸣气象新

晚饭后，琪琪和爸爸伴着晚霞在小区里漫步。

琪琪望着天边的落日余晖，不由得想起了今天在课堂上学到的内容，脱口而出："逝者如斯夫，不舍昼夜。"爸爸有些意外地问："孩子，你知道这是谁说的吗？"

"这个我当然知道，是圣人孔子说的！"琪琪满脸自信地答道。爸爸很是欣慰："对啊，这是当年孔子……"话说到这儿，爸爸嘿嘿一笑，故意卖起关子，"那你知道他是在哪儿说的这句话吗？"琪琪皱起眉头，试探性地问："子在川上曰？"爸爸这次没有吊琪琪的胃口，语气温柔而绵长："倒也没有说错，不过这里的川，其实就是黄河。"琪琪一听到"黄河"二字，瞬间来了兴致，跟着爸爸坐到木椅上，激动地说："爸爸，您快开讲吧！我已经准备好了。"

爸爸拍了拍旁边的空位示意琪琪坐下，然后缓缓开口："黄河文明不仅源远流长，而且包罗万象。上次我们讲过了农耕文明，今天我跟你说说'百家争鸣'。春秋战国时期，群雄并起，各种思想流派纷纷涌现，各抒己见，互相辩驳，形成了诸子百家争奇斗艳、文化思想空前繁荣的盛世局面。"说完，爸爸看了琪琪一眼，接着又说，"你刚刚提到的孔子，就是儒家思想的重要代表人物。"

琪琪连连点头，扳着手指说："我不又知道孔子，还知道老子、孟子、韩非子呢！"说完，他顿了顿，又皱着眉头问，"不过，'诸子百家'是刚好有一百个流派吗？"

"哈哈，当然不是了。诸子百家只是当时各种学术派别的总称，

> **知识点**
>
> 春秋战国时期的百家争鸣，反映了当时社会大变革的时代背景，主要体现了新兴地主阶级和没落奴隶主之间的阶级斗争，这一时期的思想文化成果对中国文化产生了深远的影响。据《汉书·艺文志》记载，这一时期较为出名的学派共有189家。

实际上的数量远远超过了一百个。其中流传最为广泛的有儒家、道家、法家、墨家等等。儒家以你刚刚提到的孔子、孟子为代表，他们主张仁义，强调'爱人'、与人为善；道家以老子、庄子为代表，他们主张顺应自然，'无为而治'，追求一种逍遥超脱的境界；法家的代表人物则是韩非子，顾名思义，他们的思想主要围绕法治展开，强调加强君主集权；而墨家则以墨子为代表，他们主张'兼爱、非攻'，代表着普通老百姓的利益。"

琪琪听着爸爸介绍各家思想，觉得既新鲜又头疼："这也太多了吧，光是这四家的思想我都听得犯迷糊。"爸爸被琪琪无奈噘嘴的小表情逗得哈哈大笑，然后拉过琪琪的手说："孩子，你要知道这还只是'百家争鸣'的一小部分咧。不过你也别灰心，等你再长大一点，理解这些就会容易得多了。"受到爸爸的鼓励，琪琪的眼睛里又恢复了光彩，仰头问道："爸爸，您不是说这是黄河文明的故事吗？为什么我觉得这和黄河没有关系呀？"

"当然有关啦，关系还大着呢！第一，这些流派遍布各个国家，而这

▲ 黄河落日

些国家又分布在黄河流域，可以说这些思想的诞生地都是黄河流域。第二，我们现在常说'经济基础决定上层建筑'，对于春秋战国时期来说，最大的经济基础莫过于铁犁牛耕带来的社会生产力的突破。提到铁犁牛耕，你说跟黄河关系大不大？"

琪琪醍醐灌顶般叫道："噢，原来是这样啊。"

"而且当时很多学术思想都受到黄河的启发，比如：老子经常坐在黄河边观水悟道，提出了著名的'上善若水'思想，引导人们像水一样，以一种不争不怒、大公无私的态度面对生活。"语罢，爸爸又摸摸琪琪的头，语重心长地说，"孩子，咱们的传统文化中有些思想至今都有很重要的教育意义，你以后一定要多多研读这些前人的智慧结晶啊！"

小小地理家的话

春秋战国时期，百家争鸣这种思想大发展局面的形成，得益于当时开放包容的文化环境。现在百家争鸣，也常常用来表示允许不同思想的存在并相互交流。

第三章　春秋战国秦汉

郑国渠的故事充满了智慧与奇迹

千年水渠润关中

快到五一小长假了,琪琪一家讨论着去什么地方旅游。天南地北,列了好几个选项,但大家意见迟迟不能统一。爸爸发话,将最终决定权交给了琪琪。

琪琪撑着小脑袋看着纸上的几个地点,有些纠结。半晌后,才伸出肉乎乎的小手指点在泾阳县郑国渠几个字上,好奇地问:"爸爸,郑国渠是因为建在郑国,所以才叫郑国渠吗?"爸爸端起茶杯轻抿了一口,笑着冲琪琪摇了摇头:"不是不是,这名字可有趣得很呢!"语罢,爸爸拍了拍桌面,像说书先生一般节奏明快地说道,"这郑国渠啊,是一个名叫郑国的韩国人在秦国主持修建的。后来秦国人为了纪念这位名叫郑国的韩国人,便将这条水渠定名为郑国渠。"琪琪听着有些迷糊,满腹疑惑地问:"这郑国明明是韩国人,他为什么要帮秦国修水渠呢?"爸爸往茶杯里添了些开水,在水汽朦胧中缓缓开口:"这就说来话长啦。"

"战国末年,秦国的实力在各国间有了很明显的优势,对于其他诸侯国来说,强大的秦国无疑是一个巨大的威胁。而韩国作为秦国的邻国更是感到岌岌可危。但当时韩国实力远不如秦国,如果在战场上硬拼,无疑是以卵击石,毫无胜算,于是韩王就想出一个计策——派著名的水利工程师郑国以间谍身份进入秦国,说服秦王兴修水利,从而消耗秦国国力,为韩国发展争取时间,这就是历史上著名的'疲秦之计'。"

琪琪望着爸爸,一脸认真地说:"这个计策应该没有生效吧,不然最后秦国怎么还统一了天下呢?"

"哈哈,确实没有生效,韩国精心策划的'疲秦之计',不仅没能拖住

> **知识点**
>
> 郑国渠,战国末年所建,是最早在关中建设的大型水利工程之一,它西引泾水,东注洛水,为关中地区农业发展带来了新的生机。郑国渠与灵渠、都江堰被世人称为秦代三大水利工程。

秦国发展的步伐，反而加速了秦国统一六国的进程。"爸爸向琪琪竖了个大拇指，继续说："郑国到了秦国后，成功地说服了秦王，开始挖掘水渠。他是一位优秀的水利工程师，却不是一位优秀的间谍，刚到秦国不久，他就暴露了间谍的身份……"

"那怎么办？这可是掉脑袋的罪啊！"琪琪情不自禁地发出声音，打断了爸爸的话。

爸爸看着琪琪因为惊讶而瞪大的眼睛，手还模仿着电视剧里"抹脖子"的动作，不由得捧腹大笑，紧接着又说："当时，秦国非常重视人才，再加上郑国也表示这项水利工程只能让韩国缓上几年的时间，却能为秦国造福千百年。怎么看秦国都不吃亏，所以最后郑国没有获罪，而是继续完成这项工程。最后耗时10年，这项伟大的工程终于完成了。郑国没有骗人，这

▼ 都江堰风光

条水渠确实给秦国带来了不少好处。尤其是关中地区受郑国渠的影响，从之前的干旱之地变成了沃野良田，为秦国的发展提供了重要的粮食储备。"

琪琪听到这里，忍不住感叹道："爸爸，这位叫郑国的水利工程师可真了不起啊！"

"是啊，郑国渠虽说是秦国修建的，但它不仅造福于秦国，也启发了后世引泾灌溉的思路。此后，众多朝代都受郑国渠的影响，对泾水进行开发利用，促进农业发展，造福百姓。所以有句话说得好，'疲秦之计造就万世之功'。"爸爸喝了口茶，搂过琪琪的肩轻声说，"孩子，想好了吗？咱们这次五一小长假就去看看这郑国渠的风采，怎么样？"

琪琪忙应道："好啊，好啊，百闻不如一见。那里的故事肯定比爸爸讲的还要精彩一百倍！"

知识点

郑国率众开凿郑国渠时，以黄河分支泾水为源，而泾水含沙量巨大，灌溉时，既给灌区带来了水分补给，又带来了丰富的土壤养料，很大程度地改善了关中地区原本的盐碱地问题，使农作物产量大大提高。关中平原一跃成为秦国的粮仓。

小小地理家的话

郑国渠工程之浩大、设计之巧妙、技术之先进、实效之显著都是世界上少有的。2016年，郑国渠灌溉工程世界遗产申遗成功。郑国渠至今已经有两千多年的历史了，人们也因这条水渠获得了诸多实惠。"百闻不如一见"，有机会的话，一定要去陕西省泾阳县亲眼看看郑国渠的风采哦！

青铜器上的纹饰就像一本无字的历史书，记录了古人的生活和思想变化

青铜纹饰映春秋

恰逢周末，爸爸应琪琪的要求，又带他来到了博物馆，感受古代文明。

琪琪拉着爸爸左瞧瞧右看看，转了一大圈，最后停在了上次驻足许久的青铜展区。琪琪摇着爸爸的衣袖小声撒娇道："爸爸，您上次跟我讲的那些关于青铜文化的故事真的太有趣啦！后来我去学校跟同学们讲，他们都说没听够，还想听呢！"说完，便指着面前的一尊青铜器，抬头望着爸爸，满脸期待地开口道，"要不，您再跟我讲讲其他的？"

爸爸微微俯下身子看了看眼前的青铜器，然后嘴角一抿，问道："那你看看，这个有什么特点？"

琪琪忙凑近展柜看了看右下角的说明牌，跟着念道："大克鼎。"然后挠挠头仔细观察起来，只见这鼎线条流畅，鼎口设有双耳，底部靠三条鼎足而立，造型宏伟古朴，纹饰精美繁杂。琪琪不禁被这些好看又神秘的纹路所吸引，突然他发出了一阵笑声，随后在爸爸警告的眼神下赶忙捂住嘴巴，但弯成月牙状的小眼睛里还是流露出了难掩的兴奋。琪琪拉着爸爸的手，俏皮地开口："爸爸，您看这儿，像不像动画片里面的小青龙？这中间是鼻子，这儿是眉毛、嘴巴，尤其是这对炯炯有神的大眼睛，太像小青龙了。哈哈哈！"

爸爸被琪琪弄得哭笑不得，只好拍了拍琪琪的肩膀，示意他小声一点，然后缓缓开口："看来琪琪对青铜纹饰比较感兴趣，这里面的知识可多着咧！"看着琪琪激动的模样，爸爸接着说，"这可不是什么小青龙，这种花纹叫兽面纹。顾名思义，就是一些长

> **知识点**
>
> 兽面纹是青铜器的主流纹饰之一，盛行于商朝晚期和西周早期。值得一提的是，虽然人们常常将兽面纹和饕餮纹混为一谈，但实际上这两者还是有一些区别。饕餮纹主要是指"有首无身"的一类，而有些青铜纹饰往往带有身体部分，所以叫作兽面纹更加严谨。

▲ 青铜器

相凶狠严肃的兽脸图案，它的主要特点就是对称性和大眼睛。"

"啊！这个我记得。上次您讲过古人将某些青铜器用作礼器来祭祀，所以常常在青铜器上刻这类图案，使礼器显得庄严肃穆。"提到自己熟悉的内容，琪琪的语气变得自信了许多。

爸爸很是欣慰，向琪琪竖了个大拇指："说得没错！但随着社会的发展，尤其是春秋战国的社会大变革，人们的自我意识逐渐觉醒，不再像从前那样依赖神灵，于是用作礼器的青铜器皿大大缩减，实用器物则与日俱增。兽面纹也由主体花纹变成了辅助纹饰。"

> **小小地理家的话**
>
> 春秋战国时期的青铜纹饰有诸多特点，例如兽面纹减少、人物画像纹兴起、地域性增强、错金银工艺的流行等。
>
> 春秋战国时期，青铜纹饰的发展变化深受时局、世事的影响，因此，研究这一时期的青铜纹饰，对于认识这一时期的历史有着重大的意义。

琪琪摸着下巴，若有所思地说："爸爸，我以前在书上看到过一句话——艺术是时代之镜。看来果真如此，通过兽面纹就能看出当时的一些社会情况。"

"艺术是时代之镜，这句话说得好！"说着，爸爸又拉着琪琪来到另一个展柜前，"你看，这上面的纹饰就是人们的生活写照，有采桑、狩猎以及战争的场景。这类纹饰叫作人物画像纹。这是不是很贴切呀？"

琪琪连连点头，他突然看到了另一个展柜，又好奇地问："爸爸看这个，这上面的纹饰既有动物也有人，但是这人的纹饰怎么和刚刚那个差别这么大呀？"

爸爸走近看了看，耐心地为琪琪解答："春秋战国时期的青铜纹饰渐渐发生了很多变化，其中之一就在于此。春秋战国之前呢，人的形象出现在青铜器上的很少，而且大多都跟眼前这尊一样，人物刻画十分呆板。而春秋战国时期，人们的生活和思想都有了翻天覆地的变化，这一变化投射在青铜纹饰上，表现出的人物形象就告别了过去的生硬呆板，取而代之的是当时社会生活的真实写照，就如我们看到的那尊青铜器。我们也可以把这种变化看作是早期人文主义思潮觉醒的迹象。"

琪琪如同打开了新世界的大门一般，感叹道："爸爸，青铜纹饰里面的学问可真不少啊！"爸爸笑着摸摸琪琪的头："孩子，这还只是一星半点儿呢！你若感兴趣，回头我找本书让你专门研究研究。"琪琪一脸激动，连忙说道："好啊，好啊，谢谢爸爸！"

▼清华大学艺术博物馆展览的青铜器折尊及铭文拓片

第三章 春秋战国秦汉

宁夏平原因黄河而富饶，古渠流淌着千年的智慧

天下黄河富宁夏

清晨，清风和畅，正是晨读的好时节。琪琪托着小脑袋撑在书桌上读课外书中的诗句："贺兰山下果园成，塞北江南旧有名。"此时，他的脑海中不禁浮现了去年爸爸给他讲过的江南水乡的故事。

"孩子，你干吗呢？又在开小差啊？"爸爸轻轻拍了拍琪琪的后脑勺。琪琪被吓了个激灵，忙摆手："没有！没有！"说罢，将面前的书推向爸爸，指着诗句问："爸爸，您说这'塞北江南'究竟长什么样啊？"

▼贺兰山余麓

爸爸看了看书，笑而不语，从书架上找出地图，展开递给琪琪："你先找找，'塞北江南'在什么地方？"

"我想想，贺兰山在这儿，那'塞北江南'在……这儿？"琪琪指着贺兰山旁边马蹄状的位置满脸疑惑地望着爸爸。

爸爸眯着眼睛笑着点头说："对，这里的'塞北江南'啊，也就是现在人们常说的'塞上江南'。琪琪，你别看这地方小，这可是一块风水宝地呢！"

"为什么？您快跟我讲讲吧！"琪琪忙摇着爸爸的衣袖，好奇极了。

"你看，黄河从上游携带大量泥沙奔涌而来，到了宁夏地区呢，河面渐宽，流速减慢，泥沙沉积，日积月累，这里逐渐形成了一块肥沃的土地——宁夏平原。土壤肥沃可是农业发展的一大利器。你说这是不是个好地方？'爸爸弯着腰用手比画着，耐心地为琪琪解释。

"嗯，原来是这样啊。可是光有土壤也不行呀，江南那样的鱼米之乡肯定离不开水，可这个地方属于西北地区，年降水量应该很少吧。"琪琪不由得抓耳挠腮，满腹疑问。

第三章 春秋战国秦汉

知识点

宁夏平原，又叫银川平原，位于宁夏回族自治区中部黄河沿岸。它北起石嘴山，南至黄土高原，东连鄂尔多斯高原，西接贺兰山。九曲黄河进入宁夏中部，然后由南向北斜贯于平原之上，为沿岸带来了丰富水源，令这里沟渠纵横，灌溉农业发达。宁夏平原自古就有"塞上江南"的美誉，是中国西北地区重要的商品粮基地和特色农业基地。

▼宁夏平原

爸爸一脸高深莫测地抛出四个字："另辟蹊径。"

"啊！我知道了，又是黄河对不对？天上不来水，就从地上取。黄河能带来土壤，也能带来水源。"琪琪激动地直拍脑门儿。

爸爸被琪琪的样子逗乐了，竖着大拇指道："哈哈，答对了，引黄灌溉是宁夏当地的一大特色。这里既有金沙原野、丘陵戈壁，又有水村稻田、翠林红花。因之，常常被人们称为'塞上江南'。"

"原来如此！宁夏人民真是聪明，能够想到这么好的办法。"琪琪不禁心生感慨。

"是啊，劳动人民的智慧总是让人叹为观止。"语罢，爸爸慢悠悠地开口道："其实说起来，宁夏引黄灌溉的历史，可以追溯到两千多年前。"

"两千多年前？那不就是秦汉时期？原来引黄灌溉的历史这么悠久啊！"

爸爸看着地图上那一小块马蹄形的地方，语重心长地说："那是公元前221年，秦军以席卷天下的气势一举兼并六国，实现了大一统。但秦始皇，依然不放心北方的匈奴问题，于是，他就派大将蒙恬北上防御匈奴。"

"啊！这个我知道，我在电视上看过。'却匈奴七百余里，胡人不敢南下而牧马，士不敢弯弓而报怨。'说的就是蒙恬。"琪琪骄傲的声音提高了好几倍。

爸爸无奈地按住近乎手舞足蹈的琪琪，继续道："蒙恬行军打仗确实厉害，但他可不止这点儿本领哦。蒙恬可谓宁夏引黄灌溉第一人，他从匈奴手中夺回黄河两岸大片土地后，带领将士们一边戍边一边屯垦。他们利用宁夏平原坡度的自然优势，凿渠引水，灌溉农田。在蒙恬的带领下，他们开凿了宁夏地区的第一条引水渠——秦渠，开启了宁夏平原无坝引水的历史。"

见琪琪侧着耳朵听得入神，爸爸会心一笑，接着说："自秦渠修建后，宁夏平原移民便逐渐增多。各朝各代的宁夏人民呢，都没有放弃对黄河的开发利用。在黄河的滋养下，西北大地上的宁夏平原也变成了江南模样。"

琪琪听完爸爸的耐心讲述，拿着地图满心向往地说："真想去宁夏看一看这'塞上江南'的好风光。"他随后顿了顿，说道，"还有那能带来'宝藏'的黄河！"

小小地理家的话

宁夏平原这片神奇的土地，汇集了中国古代多条名渠，秦渠、汉渠等十余条古渠在这里静静流淌了数千个春秋。因此，宁夏有一个格外贴切的称号——活的古渠博物馆。

2017年，宁夏引黄古灌区被列入世界灌溉工程遗产名录。这些都是大自然与人类智慧的结晶，有机会可一定要去看一看呀！

蔡伦的智慧让纸张走进了千家万户，书写文明从此大不同……

纸墨飞舞传千年

周末的清晨，阳光刚刚爬上树梢，微风不时送来一阵凉爽。爸爸站在阳台上甚是惬意，索性搬了张桌子过来，在阳台上练起了书法。琪琪揉着惺忪的睡眼走到爸爸身边，缓了缓神，看着宣纸上的诗句念道："竹纤木末练化身，轻薄蝉翼一片云。才子酷好泼洒墨，丹青诗赋皆可行。"

"孩子，猜猜这说的是什么？"爸爸一边蘸墨一边问。

琪琪思考了一会儿，突然灵光一现，朗声答道："纸！爸爸这说的是纸，对吗？"爸爸挥笔写下一个行云流水的"纸"字，缓缓开口："想不到琪琪的小脑袋瓜还挺聪明！那你听说过咱们中国的造纸术吗？"

> **知识点**
>
> 你知道中国古代的四大发明有哪些吗？它们分别是造纸术、指南针、火药和活字印刷术。你记住了吗？四大发明是中国人民的智慧结晶与劳动成果，对人类文明的发展起着重要的推动作用。

"我知道，老师之前讲过，造纸术是中国古代四大发明之一。"琪琪一脸得意，嘴角都咧到耳朵边去了。

爸爸被琪琪得意的小模样逗得笑出了声："哈哈，没错。如果世界上没有纸的发明，那么人类文明还不知得发展多少年才能到现在这个阶段。在纸出现之前，古人最早是将文字镌刻在龟甲和兽骨上，后来常常在青铜器或者岩石上面刻画，再往后绢帛、竹简就成了主要的书写材料。"

"不好，不好，这些都没有纸好用，有的笨重，有的昂贵。"琪琪跟着爸爸坐到餐桌边，紧接着问："爸爸，纸到底是什么时候出现的呢？"

爸爸拿着半截油条，半眯着眼思考了一会儿，然后开口道："据近代考古发现，早在西汉，纸就已经存在了。但人们一般提到造纸术时，常常会想到一个东汉时期的人，那就是蔡伦。"

第三章 春秋战国秦汉

119

"为什么？他跟造纸术有什么关系呢？"琪琪好奇地望着爸爸。

"那时候蔡伦在宫中掌管尚方。这个尚方啊，就是一个专门管理制造业的地方。你听说过尚方宝剑吧，它就是这个地方制造出来的。"

琪琪一脸惊讶："哇，尚方宝剑！这个地方的人一定很厉害。"

知识点

尚方是中国古代的一个中央机构，最早是由秦朝设立的，尚方的主要职能是管理和制造宫廷所需的器物。此后各朝都设有此机构，直到明朝才被废除。

爸爸点头应道："是啊，这里几乎代表了当时制造业的最高水平。我常常说环境对于一个人的发展极其重要。蔡伦身处这样一个'高手云集'的环境，再加上他自幼聪慧又勤于钻研，公元105年，他在前人经验的基础上，用树皮、旧渔网等廉价物品成功制成了轻薄的纸张。这种纸被称为'蔡侯纸'，而蔡伦改进的这一套制纸方法，也就成了后世闻名中外的四大发明之一的造纸术。"

> **小小地理家的话**
>
> 造纸术作为中华文明的瑰宝之一，不仅对中国文化产生了重要影响，对世界文明也有着巨大的贡献。蔡伦改进了造纸术后，这种造纸技术就沿着当时的丝绸之路，传到了中亚、西欧等地区，对世界文化的交流传播以及发展影响深远。纸张确实来之不易，我们在日常生活和学习中，一定要节约用纸哦！

"爸爸，我想起来了。以前我在少年宫的时候，老师教我们做过纸！"琪琪激动地放下筷子，然后手舞足蹈地跟爸爸说，"先把一张纸用剪刀剪碎，在一起泡一会儿，接着就一直搅、一直搅，直到……"说到这儿，琪琪想不起来该怎么形容了，有些着急，无意间瞥见了妈妈碗里盛着没有过滤豆渣的豆浆，一个激灵，忙指着妈妈的碗："就像这样，可能比这个还要稠一点。然后把里面的东西捞出来，平铺在一个容器里，等它晾干后，从容器里取出来后就是一张纸了。"

爸爸看着琪琪认真讲解的模样，很是欣慰，摸了摸琪琪的头："看来，我们家琪琪这小脑袋里装的东西可真不少呀！"

琪琪被表扬得有些不好意思，低着头问："爸爸，蔡伦造纸的方法和老师教的一样吗？"

"哈哈，大抵是一样的，但也有些差别。比如这造纸的原材料，当年蔡伦是把树皮、麻布、旧渔网这类东西剪短放在池子里浸泡的。他的原材料来源广泛而且价格低廉，所以很快就大规模应用，对社会发展起到了极大的推动作用。"语罢，爸爸提议说，"孩子，反正今天没事儿，要不我们就在家体验一下造纸术？"

"好啊，好啊！"琪琪边说边举起双手表示赞同。

▼最大指南针亮相南京邻和公园

历史文脉传承 上

王昭君的勇气与美丽千古流传,她的故事让黄河边的青冢成为了一段佳话

青冢佳话美名扬

前几日,爸爸去了趟呼和浩特,琪琪因为要上学没能一同前往,闷闷不乐了好一阵儿。

爸爸刚回到家,琪琪就像脱缰的马儿一般奔向爸爸,缠着他讲有关呼和浩特的故事。

爸爸在琪琪的撒娇攻势下,不得不妥协,边泡茶边说:"说起呼和浩特,与你感兴趣的黄河关系还蛮大的。"

"那这个地方肯定有很多关于黄河文明的故事。"琪琪望着爸爸,一脸认真地说。

爸爸抿了口茶,然后从旅行包里翻出一本小册子,接着开口:"确实如此,这个地方的传奇故事真不少。"他顿了顿后又问道,"孩子,你知道王昭君吗?"

琪琪被爸爸这么突然一问,有些愣神,但他很快反应过来答道:"我知道,您前面讲过一点,她是一个美女!"

爸爸听了琪琪的回答,险些连嘴里的茶水都喷了出来:"哈哈,她确实是个美女。她是中国古代四大美女之一。"接着爸爸又感叹道,"实际上,她更应该作为一位英雄而闻名天下。"

琪琪好奇极了,忙催促道:"爸爸,您快跟我讲讲!"

"昭君出塞是一个既美丽又悲壮的故事。西汉元帝时,王昭君作为一名宫女进入皇宫。此前匈奴与汉朝在北部边疆一带多有摩擦,但随着西汉国力的日渐强盛,匈奴的归顺之意也愈发明显。

古代四大美女

当时的匈奴单于呼韩邪先后三次来朝，求见元帝，请求和亲。元帝为了边疆安稳最终应允了，但他又舍不得让自己的女儿去边远之地受苦，和亲一事一度成为元帝的烦恼之事。"

"最后是王昭君解决了元帝的烦恼吗？"琪琪试探性地问道。

爸爸点点头："对，当时人人自危，担心自己被皇帝一道圣旨逼迫背井离乡去和亲。就在这种情形下，王昭君主动站了出来，自荐出塞和亲。这要有何等的勇气和觉悟，才能远赴

知识点

中国古代四大美女，是指西施、王昭君、貂蝉和杨玉环四人。人们常说的"沉鱼落雁、闭月羞花"，最早就是用来形容这四位美人的。"沉鱼"讲的是西施在河边浣纱的故事，"落雁"指的是昭君出塞的故事，"闭月"是说貂蝉拜月的故事，"羞花"则是杨玉环醉酒观花的故事。

中国古代四大美女
西施　杨贵妃　貂蝉

他乡，忍受寂寞。要知道当时的王昭君才19岁啊！"

琪琪若有所思地说："从这番勇气就可以看出来，王昭君不是一般的女子。爸爸，王昭君嫁到匈奴之后的生活怎么样呢？"

> **知识点**
>
> 青冢，是汉朝王昭君的墓地。位于内蒙古自治区呼和浩特市黄河支流大黑河的南岸，直到今天已经有两千多年的悠久历史了，它也是中国最大的汉墓之一。

"这次和亲对于汉匈关系极其重要，王昭君到达匈奴后，被封为'宁胡阏氏'，象征着她将给匈奴带来和平与安宁。王昭君作为和亲使者也确实不负众望，使汉匈友好关系维持了60多年，极大地促进了民族团结。"

"爸爸，这个故事哪里悲壮了呀？"琪琪不解地问。

爸爸叹了口气："于国家、民族而言，昭君出塞自然是好的，但对王昭君个人而言，却不一定是好事。芳华之年远离家乡，一去便是一辈子，再也没能回到中原看一看家乡，问候问候亲人。正如李白的诗句：'一去紫台连朔漠，独留青冢向黄昏。'这其中的辛酸，恐怕只有她自己清楚。

"我这次呼和浩特之行，还专门去看了看昭君墓。在那里了解到很多王昭君嫁入匈奴后的事迹。'嬉云'浮雕展现了匈奴人民对于王昭君的赞赏与欢迎，昭君博物馆让我更加深刻地认识了这次和亲的意义。王昭君不仅使汉匈两族化干戈为玉帛，还给匈奴带去了中原地区先进的生产技术，也促进了两个民族间的文化交流。不过给我印象最深的还是昭君墓，虽然只是一个简单的大土丘，但站在它旁边，感受着山风凛冽，目睹远处宛如一条绸带般浩浩荡荡的黄河，心中就莫名地生出一种敬仰之情，那种感受是只可意会不可言传的。"

琪琪听得满心向往，翻看着那本小册子，撒娇道："爸爸，下次您可一定要带上我一起去一次昭君墓啊！"

阴山岩画是古人的生活日记

岩壁史话映古今

假期来临，爸爸如约带着琪琪来了趟内蒙古七日游。

在期盼已久的昭君墓待了一天后，爸爸带着琪琪来到了内蒙古巴彦淖尔市磴口县，参观了"中国岩画宝库"——阴山岩画长廊。

琪琪被爸爸领着，跟随着游客踩着松软的沙土行进。在这峭壁黄沙的自然环境中，琪琪开心得很。

"爸爸，我们为什么要来这里玩呢？这里有什么特别的地方吗？"琪琪拉了拉头上的遮阳帽，半眯着眼问道。

"你不是想了解黄河文明吗？这里跟黄河文明的渊源可大着呢。"爸爸边走边耐心地回答。

琪琪思考了一会儿，开口道："噢，我知道了。刚刚进来的时候我看到有河套文明几个字，我猜啊，这里的岩画是河套文明的一部分，而河套文明又属于黄河文明，所以爸爸才带我来这儿？"

爸爸轻轻拍了拍琪琪的手："对，正是这个道理。你待会儿可要认真看那些岩画哦，那可是中华民族的文明瑰宝，很值得研究学习。"

爸爸话音刚落，就听琪琪大声地喊道："爸爸，我看到了！在那上面，您快看啊。"

爸爸顺着琪琪手指的方向看过去，只见绵延的石壁上刻画着许多神秘古老的图案，远远望去，扑面而来的历史感让人肃然起敬。

"琪琪，你猜猜，这些古老的岩画至今有多少年的历史？"爸爸一边

> **知识点**
>
> 阴山岩画是雕刻在阴山山脉岩壁上的图像，最早可以追溯到旧石器时代晚期，主要分布在阴山山脉西段狼山地区，是我国最大的岩画艺术宝库，也是世界上最丰富的岩画之一。

第三章 春秋战国秦汉

127

拿着相机拍照，一边漫不经心地问道。

琪琪被满眼的图案所吸引，对阴山岩画很是好奇，连忙应道："爸爸，您就别卖关子了，快跟我说吧！"

爸爸被琪琪挤眉弄眼的小表情逗得忍俊不禁："哈哈，这些最古老的岩画有一万多年的历史了。阴山岩画被人熟知的一个重要原因就在于其延续时间之长，从旧石器时代晚期直至近代，即使朝代更替，部落变化，生活在这一地区的人们都没有放弃过用岩画来记录生活的方式。"

琪琪听得不禁感叹："一万多年呀！爸爸，我常常觉得古人都不是普通人。您看，有些岩画刻得那么高，角度还那么刁钻，他们不仅得想办法爬上去，还得一遍又一遍地刻，从而加深痕迹，真是太不容易了。"琪琪边念叨着边睁大眼睛观察着岩壁上的图像，突然他抓着爸爸的手说，

▼ 阴山岩画

"爸爸，我突然觉得阴山岩画有点儿像之前您跟我讲过的青铜纹饰，通过这些图案，我们能或多或少地了解到当时的社会生活情况。"

爸爸听到琪琪的这一番话，有些惊喜，也有些欣慰，缓缓开口："琪琪不错呀！还懂得将事物联系起来思考，值得表扬。你没有说错，阴山岩画和青铜纹饰确实有相似之处，它们都是一种另类的文字，能有效地帮助人们了解当时的社会状况。你看，这些岩画的图案大部分都是各种动物，以及交通工具的形象、人类狩猎和舞蹈的场景、部落战争的场面，这不就是刻在石头上的史记吗？"

"哦，是这样的呀！"琪琪听得连连点头。

"噢，对了，你还记得之前讲过的匈奴吗？这里的岩画好多都是匈奴人留下的呢！秦汉时期，阴山及河套一带就是匈奴的最初活动中心，而匈奴又是典型的游牧民族，所以匈奴人在这些岩壁上留下了大量关于游牧民族生活的岩画。在没有文字记录的时代里，岩画就成了他们情感交流和文明传承的重要媒介。"

琪琪一脸认真地听着爸爸的讲解，目光所及是神秘的古老符号，不由心生感慨："爸爸，黄河文明真是博大精深，每一次都能让我大开眼界。快，我们继续往前走，前面还有好多没看呢！"

知识点

阴山岩画大体可以分为四个时代，第一代岩画是从旧石器时代晚期到青铜器时代中期创作的，这是阴山岩画的鼎盛时期；第二代岩画是春秋时期至两汉时期匈奴人的岩画，这一时期的岩画多以部落真实生活为题材；第三代岩画则是中世纪岩画，这代岩画的雕琢技术已经比较成熟，刻画风格呈现图像化、形象化增强等特点；最后一代岩画是元代以后蒙古族的作品，也被称为"近代岩画"。

小小地理家的话

习近平总书记在谈到自然和文化遗产传承发展时曾强调："让收藏在博物馆里的文物，陈列在广阔大地上的遗产，书写在古籍里的文字都活起来。"阴山岩画作为黄河文明的一部分，体现了中华民族的生命力与创造力，是全人类文明的瑰宝，我们既要保护好，更要传承好。我们每个人都与保护文明、传承文明息息相关。

▼ 阴山岩画

第三章 春秋战国秦汉

王景用智慧和勇气治服了黄河,让"地上河"变得温顺了……

筑堤理渠兴水利

转眼已进入夏季,天气越来越闷热。走在放学回家的路上,琪琪感觉路上热浪翻腾,让人难受。打开家门,一股清凉迎面而来,甚是舒服。他把书包放下,环顾一周,才发现爸爸正坐在沙发上,一脸严肃地看着电视。

"爸爸,您看什么呢?这么入神,连我回来了都没发现。"琪琪一边嘟着嘴向爸爸撒娇,一边向爸爸走去。爸爸则专注地看着电视,头也不回地说:"别打岔,看新闻呢!"琪琪只好乖乖闭嘴坐到爸爸身旁,和他一起看。新闻里正在播报黄河沿岸突如其来的汛情。看着大家众志成城、共渡难关的实拍画面,琪琪很是感动。

半小时后,爸爸才摘下眼镜,惆怅地说:"唉,黄河真是让人欢喜让人忧啊!"忽然爸爸回头问道,"孩子,你知道历史上有哪些治理黄河的故事吗?"

琪琪想了想,有些尴尬地挠挠头:"我只知道大禹治水的故事。"

爸爸微微一笑,拍拍琪琪的肩膀,说:"没关系,今天我再给你讲一个。

"我们常说黄河像母亲一样,给人类提供了生存和发展的养料。但有些时候,它也会控制不住自己的脾气,给人类造成一些麻烦。"爸爸边说边拉着琪琪走到地图前,"你看这儿,黄河从这里浩浩荡荡地一路东来,穿过黄土高原,又流经豫西山地,携带了大量的泥沙,再一路往下,因地势变得平坦,流速减缓,泥沙逐渐淤积在河底。久而久之,河床比两岸的地面还高,就形成了著名的'地上河',又称为'悬河'。"

"哇,河床比地面还高,那周围就很有可能被河水淹没啊!"琪琪若有所思地说。

> **知识点**
>
> 黄河的汛期分为春汛和夏汛。春汛是北方河流特有的现象,春季气温回升,冰雪融水使河流水位上涨。而夏汛则是受夏季风的影响,锋面雨带临近,从而形成雨季,进入汛期。

"对，这就是问题所在。从古至今，这里的人们或多或少都会受到洪涝灾害的影响，也正此造就了很多治理黄河水患的杰出人物，王景就是其中之一。今天，我就跟你讲讲王景的治黄故事。"

琪琪连连点头，抓着爸爸的衣袖晃了又晃。爸爸在琪琪的催促下，缓缓开口："汉光武帝时，黄河决口，河南等地区受灾严重，往后的几十年里，黄河依然泛滥成灾，但都因种种原因没能得到有效治理。百姓流离失所，民不聊生。到了汉明帝时，黄河问题愈发严重，永平十三年，明帝召见当时已小有名气的水利专家王景。王景也因此获得了大展身手的机会。"

> **知识点**
>
> "地上河"是一个地理概念，而不是指某条特定的河流。当河床海拔高于沿岸地表时，就被称为"地上河"，又叫"悬河"。

"黄河问题已经存在很多年了，王景是怎么攻克这个难题的呢？"琪琪迫不及待地想知道答案，连忙追问道。

"王景的方法啊，总而言之就四个字——疏堵结合。要知道，在王景之前，大部分治水专家都只采取堵这种单一做法。而王景在认真勘测了黄河两岸的地形后，勇敢地突破了条条框框，采用了两种措施并举的方法。他先是利用黄河的'顺流之性'，提前疏通了汴河、济河，让黄河顺利实现泄洪分流。然后又针对河床抬高，容易决口的问题，在黄河沿岸修建了千余里的防洪堤坝，同时'十里立一水门'，水门即水闸，用来控制河流的流量及流速，从而减少泥沙沉积量。另外，他还采取了一个简单粗暴的方法，那就是直接将一部分泥沙分移到河床之外。凭借这些巧妙的方法和所有人的努力，一年后，王景成功地制服了黄河。"

琪琪听得一脸佩服："王景真是一个智勇双全的人才啊！不仅有大智慧，还敢于创新，勇于突破。"

"是啊，王景的治黄成效是极其显著的。从那之后，黄河八百多年都没有发生过大的改道。漕运逐渐兴起，黄河下游的农业发展也得到了明显的改善。所以有句话说得好，'王景治黄，千年无恙'。"

"王景治黄，千年无恙。"琪琪情不自禁地跟着喃喃说道，他接着又说，"确实如此，王景实在是厉害！爸爸，您还有其他的治黄故事吗？我还想听。"

爸爸摸了摸琪琪的头，语气温柔而轻快："孩子，先去写作业吧！不然待会儿你妈妈又得唠叨了。"

第四章 三国两晋南北朝

动荡中的繁荣

汉朝后，中国历史进入三国两晋南北朝时期，即指三国、西晋、东晋和南北朝，这是历史上政权更迭十分频繁的一个时期。

东汉末年，黄河流域战乱不停，社会动荡不安，但翻开三国两晋南北朝的故事，你会发现，即使在动荡的时代背景下，黄河文明也向前迈进着，展现出独特的强大生命力。

曹魏、蜀汉、东吴在东汉末年时三分天下，形成三足鼎立的局面，这一时期史称"三国时期"。其中，曹丕称帝，建立魏国，居于黄河流域，以洛阳为都。从曹丕的父亲曹操起，就统一北方，施屯田、行租调、兴水利……令魏国社会在东汉末年的战乱、水患和瘟疫等灾害后逐渐趋于稳定，生产力有所提高，因此在三国中，曹魏人口最多；又因黄河流域拥有牢固

的开发基础，曹魏的垦荒面积也最大，实力位居三国之首。这一时期以刘徽为代表人物的数学科学和以华佗为代表的医学都取得了巨大进步，是黄河流域宝贵的财富。

　　西晋是三国后的朝代。曹魏后期，政治日益腐败，统治阶级内部出现分裂，司马氏家族先控制曹魏政权，后又发动灭蜀之战，最后司马炎受曹魏皇帝曹奂禅让，建立西晋，于洛阳定都，十五年后又灭东吴。至此，三国时期结束。短短十几年的平静之后，西晋内忧外患，最终灭亡，而司马睿于次年建立东晋，定都于建康，东晋建立后，战乱仍然不止。两晋时期虽然动荡，但思想开放，文化取得巨大进步。其中，"竹林七贤"的玄学为黄河文明写下靓丽的一笔。

　　西晋之后，南方和北方处于分裂状态。其中，统一北方的北魏是由鲜卑族建立政权。但北魏孝文帝的祖母冯太后是汉族人，因此孝文帝从小便被汉族文化吸引，受汉文化影响颇深。由于北魏建都平城，不利于对整个中原地区的统治。于是孝文帝决定从平城（今山西太同）迁都于洛阳。此举使黄河流域呈现出从单一的汉族文化到民族融合的趋势，也为黄河流域带来了许多劳动力，促进了黄河流域的开发和经济的发展，推动了黄河文明的进步。

▼黄土高坡美如画

历史文脉传承 上

曹魏屯田,让荒野变成丰收的家园

曹魏屯田兴农桑

"爸爸,为什么东汉末年会出现三国呀?"琪琪听到歌曲《曹操》中的"东汉末年分三国",突然从客厅跑到爸爸身边问道。爸爸正在浇花,面对突然提问的琪琪先是一惊,随后又恢复一贯的平静,边浇水边回答道:"东汉末年战乱不断,再加上旱涝和瘟疫等灾害,社会秩序混乱,董卓以精兵控制京师后立陈留王为天子,最后董卓被吕布刺死。经过军阀混战后,曹操、孙权、刘备形成了三分天下的局面,建立了魏国、吴国与蜀国,史称'三国'。"

"爸爸,旱涝是什么意思?"琪琪好奇地问道。

爸爸因为琪琪总是充满好奇而欣慰:"哈哈,孩子,这很简单,将两个字拆开来理解,旱表示干旱缺水,涝则是雨水过多,旱涝就是指旱灾和涝灾啦。"

▼兴修农田水利,助力旱涝保收

"那为什么又是干旱又是水多呢，太奇怪了。"琪琪皱着眉，一副怎么也想不通的样子。

"哈哈，你看这花，如果爸爸半年都不给它浇水，它就会枯萎，土壤也会干裂；而等它干裂后我又一盆水一盆水地往花盆里灌，它们会怎么样？"爸爸指着花说道。

琪琪看看花又看看爸爸说："那花肯定又被淹死了呀。"

"哈哈，没错，把这种现象放大到整个黄河流域，黄河流域是季风气候，夏秋季多雨，冬春季少雨，降水的季节变化大、年际变化大，旱涝灾害频发且春旱严重。再加上连年战乱，所以当时人口大量减少啊。"爸爸不紧不慢地讲道。

琪琪却有些着急了，爸爸话音刚落，琪琪就问道："那问题解决了没有呢？当时的人们好可怜。"

"是啊，动荡时期，最痛苦的就是老百姓了，所以人们才热爱和平，不希望发生战争呐！"爸爸意味深长地说，随后又长吁一口气说，"后来，针对出现的种种问题，魏国推行屯田制，组织士兵和没有土地的流民垦种荒地。按不同群体来分，屯田制又分为军屯、民屯和商屯，并且屯田的流民还可以不服兵役和徭役，被称为'屯田客'。屯田制使魏国很快恢复了社会秩序，农业生产得到了发展，这也是当时三国中魏国势力最强的原因。"

知识点

屯田制中，军屯的收入都属国家所有，因为军屯的生产和生活资料以及生产工具都是国家提供的。屯田制开始实行时，民屯的租税是固定的，后来发现如此以来，丰年时国家的收入还是不会增加。所以魏最终采取了"分成收税法"，即当屯民租用了国家的牛，那么分成时国家六成；如果没有租用牛，那么就采用五五分成的方式，国家财政收入就增加了。

小小地理家的话

了解黄河文化，我们可以在黄河流域历史上的混乱时期中看到战乱的可怕，从而更加珍爱和平。而对于黄河历代的水利工程修建，后世可以从中总结经验利弊，使现在的水利工程更加成功。如何才能了解黄河文化呢？我们不仅可以通过历史课来学习通过长辈讲解来学习，通过参观遗址和读历史书籍来了解，还可以通过读古诗词来了解，体会古典文学之美的同时，还能够了解很多历史故事呢。

刘徽的《九章算术注》让古代数学焕然一新

刘徽算术启新篇

周末，琪琪把做好的数学题让爸爸检查："爸爸，我做完数学题了，您看看吧。"

正在喝茶的爸爸放下茶杯，慢条斯理地拿起了作业本说："哈哈，爸爸给你检查检查。"

检查完后，爸爸满意地摸了摸琪琪的脑袋："正负数全对了，学得很不错哦，琪琪。"

听到爸爸的夸奖，琪琪很是开心，蹦蹦跳跳地准备离开。

这时爸爸突然问："孩子，你知道中国最早明确地提出正负数概念的人是谁吗？"听到是关于数学的问题，琪琪好奇极了，立马睁大眼睛看着爸爸说："琪琪不知道，到底是谁呀？"

"哈哈，是我国古代数学家刘徽。他在曹魏时期写成的《九章算术注》，第一次明确地提出正数和负数的概念，是对西汉时《九章算术》的注本，只是当时正负数的表示和现在不一样，刘徽用红色来表示正数，用黑色表示负数，现在的表示方式更加简单了。这个概念的提出，使当时数学前进了一大步。"爸爸笑着说，话语里还带着几分骄傲。

"注本？"琪琪喃喃说道，随后又问，"那它只是对《九章算术》的解释吗？怎么能算第一次呢？《九章算术》才应该是第一啊！"

爸爸喝了口茶，笑了笑说："哈哈，琪琪提的问题很棒哦！其实啊，《九章算术注》不只是《九章算术》的注本。刘徽在注解《九章算术》时，不只是单纯地翻译内容，而是结合自己创造性的证明和理论进行

> **知识点**
>
> 刘徽生活在魏晋时期，是著名的科学家，著有《九章算术注》，是对西汉时《九章算术》的注本。他是中国古典数学理论奠基人，第一个明确提倡用逻辑推理的方法来证明数学命题，他用毕生心血钻研数学理论，为中华民族留下了宝贵财富。

编撰的，全书实际上是他数学思想的真实反映。比如，此前数学界只有正负数的应用，而真正概念的提出却是在《九章算术注》中。除正负数的概念之外，刘徽还论证了勾股定理和解勾股形的计算原理，由此创立了相似勾股形理论，并让勾股测量术得到发展，等等。他通过几何分析各种数学成果，并在此基础上进行创新，使得中国传统数学发生了根本性的变化。"

爸爸不紧不慢地讲着，一旁专心倾听的琪琪却按捺不住兴奋，待爸爸一说完就感慨道："想不到早在那么久以前，中国的数学界就这么精彩了啊。真是太了不起啦！"

"哈哈，是啊，中华民族从来没有停止过前进的步伐。"爸爸眼睛望着远方，仿佛看到祖国五千年的历史如同黄河流水奔流向前。

"那刘徽当时为什么会研究数学呢，爸爸？"

琪琪的提问将爸爸的思绪拉了回来。谁知爸爸品了品茶，却反问琪琪道："刘徽是山东人，你知道山东是什么的发祥地吗？"

还好，琪琪记得。"我知道，我知道！山东是孔子的家乡，也是儒家学派出现的地方，对吗？"

"哈哈，没错，正是儒家学派的发祥地，当时稷下学宫招来了全国著名学者，成为先秦百家争鸣的中心之一。经过西汉和东汉再到魏晋，这里的学术氛围都非常浓厚，从公元200到300年间，齐鲁地区的数学发展非常快，刘徽出生在这样的环境中，自小便接受了良好的教育。在这样的客观环境下，刘徽才有机会从当时注重实践的风气中另辟蹊径，转而重视数学理论的研究。"爸爸耐心地给琪琪讲道。

"啊，看来学习氛围真的很重要呢，不过刘徽能够有这样的成绩，

知识点

在《九章算术注》中，除了对《九章算术》的注解外，还为本来比较原始的解法、缺乏必要证明的地方科学地进行了补充证明，在证明中也有创造性的发现。此外，刘徽在《九章算术注》中还整理了以前中国的数学成果，使之形成体系，奠定了中国古代数学的理论基础。现在流传的《九章算术》许多版本，实际上都是刘徽所著的《九章算术注》。

> **小小地理家的话**
>
> 在黄河畔诞生的《九章算术注》，奠定了中国古典数学理论基础，也是我国数学进阶的一大步。学习氛围对一个人进步的方向和成就都有很大影响，但是走得有多高、有多远，都是由自己的付出决定的。这些道理，从黄河的故事中都能得到，这也是国家提倡保护弘扬黄河文化的原因之一，读"史"才能明"理"呀。

和他自己的刻苦努力也分不开吧！"琪琪眨眨眼睛望着爸爸说，好像在等待爸爸的认可。

爸爸看着越来越懂事的琪琪十分欣喜："哈哈，琪琪说的一点没错，虽然客观环境对我们的进步影响很大，但终究自己的付出才是决定性因素啊！"

"竹林七贤"的故事就像一颗颗闪亮的星星，照亮了历史的夜空

魏晋风骨竹林贤

周末的清晨，鸟儿在树梢上放声歌唱，琪琪也早早起床开始大声朗读。他坐在书桌前，一手拿着读物，另一只手便随着朗读的节奏动来动去，偶尔还闭着眼睛摇头晃脑，读得格外入神。爸爸看琪琪读得认真，心里很是欣慰，便拿着杯热牛奶向他走去。只听琪琪声情并茂地朗声道："夜中不能寐，起坐弹鸣琴。薄帷鉴明月，清风吹我襟。"边说还边把手抚在胸口，满脸愁绪。爸爸悄声走到琪琪身边，将牛奶轻轻地放在桌子一角，刚打算转身离开，却被琪琪抓住衣角，"爸爸，你知道三国时期的魏国诗人阮籍吗？"

"当然知道啊！怎么啦？琪琪。"爸爸摸了摸琪琪的小脑袋柔声道。

琪琪指着书上的诗句，皱眉问道："我觉得他写的这首诗好忧伤啊，爸爸你知道为什么他会这么忧愁吗？"

"唉，这就不得不提到这首诗的创作背景了。"爸爸拉了一把椅子过来，坐在琪琪的身边，继续道："你还记得之前爸爸跟你提过一千多年前魏晋时期的社会是什么样子吗？"

琪琪低头想了一会儿，开口说道："记得，记得！当时政治黑暗、战乱不断，百姓生活得很不好！"

"对啊，阮籍年少时酷爱研读儒家经典，心怀兼济天下的远大抱负，他也先后在朝廷担任过几次官职。后来，发生了魏晋禅代的政治动乱，时局动荡，民不聊生。他对统治阶级感到愈发不满，自己又无力改变这种社会现状，最后转而投向了老庄一派，开始研究无为之道。在满腔悲愤与无奈中，采取了不涉是非、明哲保身的态度。"爸爸边说边把牛奶递到了琪琪手里。

琪琪喝了口牛奶，托着下巴，盯着爸爸说："难怪他会这么忧愁，在那样的社会环境中，就算生命安全得到了保障，但他心里应该也很难过吧！"

爸爸点点头，叹了口气，说道："这也是没有办法，那个时代像阮籍这样的人还有很多。琪琪，你听说过'竹林七贤'吗？"

第四章 三国两晋南北朝

143

▼ 竹林七贤邮票

琪琪忙把嘴里的牛奶咽下去,连声道:"知道知道!老师上课提到过。阮籍就是'竹林七贤'之一,爸爸我说得对吗?"

"不错,那你知道其余的'六贤'是哪些人吗?"爸爸挑眉问道。

"嗯,还有嵇康、山涛、向秀",琪琪顿了顿,挠挠头,不好意思地开口,"剩下的不记得了。"

爸爸被琪琪窘迫的小模样逗得直笑:"哈哈,剩下的还有刘伶、王戎和阮咸,这七位名士被并称为'竹林七贤'。他们对我国思想文化产生了重要影响,在中国历史上留下了浓墨重彩的一笔。一定要记住哦!"

琪琪忙举起小手,一脸严肃道:"好的,保证完成任务!"接着,又望着爸爸提问:"那他们都跟阮籍一样,明哲保身,不问世事吗?"

"那倒也不是,虽然'竹林七贤'他们七人之间关系很好,经常一起饮酒纵歌,但他们的性格各有特点,人生选择也有很大的差异。"爸爸说到兴奋处,拿起茶杯抿了一小口,继续道:"在'竹林七贤'里,我最喜欢的便

唐·高逸图

是嵇康了。他就是名士中决不妥协、始终反抗的典型代表。别人来请他入仕，他权当没看见，就连好朋友山涛想举荐他入朝接替自己的职位，他却写了封《与山巨源绝交书》，以表自己的决心。怎么样？是不是很有个性？"

琪琪听得一愣一愣地，满眼崇拜地说："哇，他好厉害呀！不过爸爸，那'竹林七贤'里有没有愿意为朝廷工作的人呢？"

> **知识点**
>
> 玄学是把儒家的政治伦理和道家哲学结合起来，形成的一种新的道家学说。是披着道家思想外衣来宣传儒家纲常名教的主观唯心主义。

> **知识点**
>
> "竹林七贤"是指嵇康、阮籍、山涛、向秀、刘伶、王戎及阮咸七人。这七人是当时玄学的重要代表人物，因常在竹林中饮酒纵歌而得名。

▼ 首部黄金版《周易》亮相厦门

第四章 三国两晋南北朝

爸爸催着琪琪喝完杯中的牛奶，回答道："肯定有啊，刚刚提到的山涛和王戎就是这类人物，他们主动入朝为官，为当时的统治者出了大力。"

琪琪有些迷糊，开口问道："既然他们差别这么大，为什么还能够成为朋友呢？"

"虽然他们七人在政治上有着非常明显的分歧，但他们七人都是当时玄学的重要代表人物。"

"玄学？爸爸，玄学是什么啊？"琪琪满脸疑惑地问。

爸爸重新斟上一杯茶，缓缓开口："我们现在提到魏晋时期，常常会想到那个时代的特定产物——魏晋玄学。玄学是魏晋时期主要的哲学思想。刚刚我们不是提到阮籍研究老庄之道吗？其实啊，这玄学就跟老庄思想有着紧密的联系。你想一想，身处那样的时代，很多文人无力改变时局，只好将注意力转移到对《老子》《庄子》和《周易》'三玄'的研究上来，从而远离实际问题，寻求心灵上的慰藉咯！"

"噢，原来如此！因为'竹林七贤'都研究玄学，有共同的话题，所以他们成了好朋友！"

爸爸看着琪琪激动的样子，微笑着应道："可以这样讲吧。总之呢，'竹林七贤'对魏晋时期这段历史的发展有着重要的影响。琪琪，你之后可以好好研究研究！"

知识点

嵇康，字叔夜，曹魏思想家、音乐家、文学家。他是"竹林七贤"的精神领袖，开创了魏晋玄学新风。

小小地理家的话

魏晋时期除了"竹林七贤"外，还涌现了很多个性鲜明的文人名士，他们一起成就了传诵千年的魏晋风骨。了解这段历史，感受魏晋风度，对于我们的成长可是益处多多哦！小朋友们，不妨和琪琪一样，闲暇时拿起书本走近这群名流雅士的生活，去反思、领悟这里面的思想文明。

孝文帝的改革像一座桥梁，促进了民族融合

孝文革新融华夏

琪琪最近受爸爸的影响，对魏晋南北朝的历史特别感兴趣，一有时间就缠着爸爸讲相关的故事。这不，刚放学回家，他就直奔厨房找爸爸去了。爸爸对于琪琪的热情也是哭笑不得，最后只好叫他一起来择豆角，顺便给他讲起了北魏孝文帝改革的故事。

"西晋末年，时局动荡，战火纷飞。西晋朝廷被迫南迁，定都建康，史称东晋。而北方则开始了中国历史上少见的动乱局面，政权更迭极为频繁，各个民族争相登场逐鹿中原，史学上将这段历史称为五胡十六国时代。这场乱世整整持续了一百余年，直到鲜卑拓跋部落出现，才宣告结束。"爸爸边择豆角，边给琪琪解说。

琪琪听得认真，手里的动作虽然慢但也没停，最后还好奇地问："是鲜卑拓跋部落统一了政权吗？"

爸爸连连点头："对，正是这个部落在北方建立了北魏政权。后来北魏又凭着骁勇善战的铁骑军，在中原大地迅速崛起，一鼓作气，统一了黄河流域，实现了版图扩张。"

"咦，这个部落好厉害呀！爸爸，后来呢？"

"这俗话说得好，打江山容易，守江山就难了啊！一个少数民族，如何才能管理好一个比它本民族人口还多的汉族呢？这是一个大问题。"爸爸起身，拿了一瓣蒜接着剥。

琪琪连忙催促道："爸爸，您就快说吧，北魏是怎么做的？"

"嘿嘿，接下来就要讲到历史上著名的北魏孝文帝改革，快竖起耳朵听哦！这北魏孝文帝改革其实是由两个部分组成的，前期是由冯太后主持的，主要是一些制度上的创新，在一定程度上对北魏政权起到了积极作用。今天我主要讲讲后期孝文帝进行的改革。他的第一个重要举措就是迁都洛阳。孩子，你想想他为什么要迁都洛阳呢？"

琪琪有些困惑，但还是开口答道："难道是因为之前好多朝代都定都洛

▼洛阳古城

阳，洛阳是一块风水宝地？"

"可以这样理解，洛阳和当时的北魏都城平城（今山西大同）相比较，确实地理位置要优越得多。但还有另一个重要原因，那就是孝文帝一心想要汉化改革，冯太后是一个汉人，深受汉族文化的影响，孝文帝在她的教育下成长，从小便接触了许多汉族文明，他深刻地认识到汉族文明的优越性，因此迁都洛阳，就是他实行汉化政策的第一步。"爸爸边说边招呼琪琪一起洗手，然后拉着他来到餐桌前。

琪琪坐下后，便皱着眉头分析道："可是爸爸，一个民族的本土文化那么重要，况且那些人也不像孝文帝那样接受过汉族文化的熏陶，他们怎么会接受汉化呢？"

"这就是孝文帝的聪明之处。他没有直接颁布法令迁都洛阳，而是以南下讨伐齐国之名，亲率众军南下。鲜卑人英勇好战，一时间，支持南下

的人数不胜数。而历时一个月后，众人到达洛阳城时，都已疲惫不堪。在继续南下伐齐与定都洛阳之间，众臣选择了定都洛阳，于是孝文帝便顺势定都洛阳了。"

"哇，孝文帝真厉害！"琪琪激动地竖起大拇指，接着又问："爸爸，接下来呢？孝文帝汉化措施的第二步是什么？"

爸爸笑了笑，回应说道：

> **知识点**
>
> 西晋时，进入内地的少数民族主要有匈奴、鲜卑、羯、氐、羌，当时的汉族人将这五个少数民族统称为"五胡"。

> **知识点**
>
> 北魏孝文帝改革，还促进了鲜卑族由游牧文明向农耕文明的转变，黄河流域出现了民族交融的高潮，农业生产也得到了恢复发展。

"孝文帝接下来的措施啊,更是雷厉风行。既然定都洛阳了,那么接下来就是移风易俗了。你想想,如果你是孝文帝,你会怎么做呀?"

"我会……我会让他们学习汉族的语言,还有穿汉族的衣服!"

爸爸向琪琪竖起了大拇指,以示鼓励:"对了!孝文帝接下来的措施就有这些内容,简单概括呢,就是五项——易服装、讲汉话、改汉姓、通婚姻和改籍贯。"说完,又补充道,"你可别因为听起来只有十五个字,就小看了哦,这些政策的用处可大着呢!"

琪琪激动地举起手:"我知道!这样下去,各民族之间的关系会更加亲近,可以进一步加速民族融合。"

"对,这次改革对鲜卑族而言,极大地推动了社会发展。但在我看来啊,最大的意义还是促进了中华民族的大融合,为多民族共同发展做出了贡献。好了,今天的历史小课堂就讲到这里,收拾收拾,准备开饭!"看着爸爸模仿老师的样子拍拍桌子宣布下课,琪琪不禁捧腹大笑,整个家里都洋溢着欢笑声。

小小地理家的话

北魏孝文帝改革,是中国历史上一次重大改革。学习这次改革,既能使我们了解魏晋南北朝的历史,更能让我们认识到民族融合的发展过程。同时,北魏孝文帝改革也告诉了我们一个道理:无论身处怎样的环境,先进的文明总有力量征服落后的文明,这也是历史发展的规律。

▼洛阳古城

南北朝的文化成就像一颗颗璀璨的宝石，每一颗都闪耀着独特的光芒

石窟佛韵南北歌

今天是周六，琪琪跟着妈妈出去买菜的时候，收到一张广告传单，他只看了一眼，就被上面大大的标题和醒目的图片吸引了，在手里紧紧攥了一路。一到家，他就飞奔书房找爸爸分享这个惊喜。

"爸爸，爸爸，您快看，我今天看到了龙门石窟，这上面介绍说它开凿于北魏孝文帝年间。"琪琪飞扑向坐在电脑前的爸爸，激动地喊道。

爸爸搂住琪琪圆乎乎的小身体，接过广告传单，扶着眼镜看了一小会儿后，缓缓开口："龙门石窟确实开凿于北魏年间。"顿了顿，爸爸又说，"它还是南北朝时期文化成就的重要代表之一。"

"爸爸，您看，这上面的图片几乎全是佛像，难道南北朝时期的人都信奉佛教吗？"琪琪指着图案，疑惑地问道。

"杜牧有句诗是这样说的：'南朝四百八十寺，多少楼台烟雨中。'这里的480座寺庙其实毫不夸张，南北朝时期，佛教在我国十分兴盛。从北魏孝文帝迁都洛阳开始，信奉佛教的孝文帝便将自己的信仰也带到了新都洛阳，他在这里组织修建僧院、寺庙、石窟，极大地推动了佛教在中原大地的传播。再加上南北朝时期，百姓生活艰难，佛教的出现，给他们的心灵上给予了一定的慰藉，因此佛教在那段时间的发展极其迅速，甚至可以与道家思想并驾齐驱。"爸爸一边用眼镜布细心地擦拭着眼镜，一边低声耐心地对琪琪解释。

琪琪豁然开朗："噢，原来如此。爸爸，您刚刚说龙门石窟只是南北朝文化成就的代表之一，那其他的呢？"

爸爸想了想，接着说："南北朝时期，可以看作是中国历史上第二个'百家争鸣'了，别的先不说，这文化成就肯定少不了。"说完，他咳嗽了两声，然后高声朗诵道，"天苍苍，野茫茫，风吹草低见牛羊。"

爸爸被琪琪惊讶得瞪大眼睛的表情逗得哈哈大笑："哈哈，怎么样，是不是觉得很耳熟啊？这是南北朝时期的又一文化成就——北方民歌。"

琪琪激动得直拍脑门儿："爸爸，我听过这个，好像叫《敕勒歌》！"

第四章 三国两晋南北朝

知识点

龙门石窟位于今河南省洛阳市，是中国石窟艺术宝库之一，与甘肃敦煌莫高窟、山西大同的云冈石窟、甘肃天水的麦积山石窟并称为中国四大石窟。2000年，龙门石窟被联合国教科文组织评价为"中国石刻艺术的最高峰"。

▼河南洛阳龙门石窟

▲ 龙门石窟夜景

第四章 三国两晋南北朝

历史文脉传承 上

158

▲ 甘肃天水麦积山石窟

第四章 三国两晋南北朝

"对。其实还有一首耳熟能详的北方民歌,你也一定听说过,'唧唧复唧唧,木兰当户织。'孩子,想起来了吗?"

"噢!《木兰诗》,我想起来了。"琪琪捶胸顿足,感叹道,"爸爸,原来不知不觉间我已经接触了这么多魏晋南北朝时期的文化啊!"

爸爸抚了抚琪琪的背,开口道:"孩子,学习这条路还远着呢!南北朝民歌带有很明显的分裂割据的时代烙印,由此形成了南北两种完全不同的文学风格和形式,北方主要是民歌,而南方主要是田园诗、抒情诗。你想啊,直到今天这些脍炙人口诗歌依然被人传颂,这就足以说明南北朝民歌是多么优秀了。"

琪琪越听越好奇,拽着爸爸的袖口晃了又晃,眼巴巴地望着爸爸:"还有呢?南北朝还有哪些文化成就?"

爸爸站起身,伸了个懒腰:"多了去啦,北方的雕刻艺术,南方的绘画成就,祖冲之的圆周率,陶渊明的田园诗……真是数都数不完!"

> **知识点**
>
> 南北朝民歌,是继汉乐府民歌之后的又一个民歌繁荣时期,它在一定程度上为后人还原了当时的社会现实,给中国诗歌注入了新的灵魂与生命力。南朝民歌,风格清丽婉转,以抒情长诗《西洲曲》为杰出的代表作;而北方由于多游牧民族,其民歌风格则稍显粗犷豪放,其中《敕勒歌》《木兰诗》为杰出的代表作。

▼ 山西大同云冈石窟

贾思勰的《齐民要术》是古代农业的宝典，里面藏着让土地更肥沃、作物更丰产的秘密

古农智慧耀黄河

感知了魏晋南北朝文化的精彩后，琪琪最近常在书房里翻阅爸爸精心分类收藏的书籍。今天，在爸爸的魏晋南北朝专区的书籍里，琪琪看到一本有些奇怪的书：《齐民要术》。琪琪想："齐民"应该是指怎么统治万民，所以这本书应该是讲政治的。可是琪琪打开书，随意翻了几页，看到的却全是耕田、收种、种谷和酿造等关键词，配图也尽是植物和认不出用途的工具。

琪琪拿着《齐民要术》就去找爸爸："爸爸，您的魏晋南北朝专区怎么混进了这本书啊，您之前讲的魏晋风流美妙，这本书和我感受的时代气质格格不入，是不是放错了？"

爸爸说："你这孩子，我还不至于放错书。你手上的这本书由北魏贾思勰所著，是中国古代五大农书之首，正是这个时期的代表作。此书的问世，甚至还标志着中国北方农业体系的成熟。"

琪琪说："我之前了解到了文学艺术的长足进步，却不知道这时的农业也有如此发展。"

爸爸说："实际上，这一时期黄河流域的农业生产及耕作技术都有了长足的提高。你翻翻《齐民要术》，就能发现书中所涉及的地区范围包括现在的山西东南部、河北中南部、河南东北部以及山东中北部等地。这些地区大都位于黄河中下游地区，年降水量较少，春旱严重。对如何在干旱的土地上整地、耕作、保墒，如何保护、提高地力等，书中都有十分精辟的叙述。《齐民要术》对黄河中下游地区水稻的栽培技术也有详细的记述。此外，《齐民要术》还反映了中国古代丰富的生物学知识。"

琪琪又问道："爸爸，贾思勰为什么要写这样一本和农业有关的书呢？"

"北魏以前，中国北方处于长期的分裂割据状态。拓跋氏建立了北魏政权并统一了北方地区后，社会秩序慢慢稳定，社会经济也逐渐恢复并得到发展。北魏孝文帝在社会经济方面实施的一系列改革，更是刺激了农业生产的发展，促进了社会经济的进步。而贾思勰青年时代，正值孝文帝所

提倡的汉化运动的高峰，朝廷议政以农为首，督办农业，违者免官。统治者励精图治，农业生产蒸蒸日上，这些都为贾思勰撰写农书提供了便利的条件。贾思勰认为农业科技水平的高低关系到国家的富强，于是他便萌生了撰写农书的想法。"爸爸笑着解答了琪琪的疑惑。

> **知识点**
>
> 《齐民要术》是一部综合性农书，概述了农业、林业、牧业、渔业、副业等部门的生产技术知识。

"原来是这样啊，"琪琪点了点头，露出恍然大悟的表情，"爸爸，您说书里涉及的范围包括现在山西东南部、河北中南部、河南东北部以及山东中北部等地，那么为了写书，贾思勰是不是去了很多地方呢？"

爸爸摸了摸琪琪的头，说道："没错，贾思勰为官期间，到过山东、河北、山西、河南等许多地方。每到一处，他都非常重视农业生产，他曾经亲自实践农业生产，进行各种实验，并向经验丰富的老农学习。他在总结前人经验的基础上，结合自己从老农当中获得的生产知识以及对农业生产的亲身实践与体验，认真分析、系统整理、概括总结，最后终于完成了《齐民要术》。"

> **小小地理家的话**
>
> 经济的发展是离不开农业的，而《齐民要术》总结了北魏时最先进的农业知识，而翻车和织机的改良，也更进一步促进了农业和纺织业发展。中国北方的农业体系，在古人们一步步的努力下完善了。

"除了《齐民要术》，魏晋时期还有哪些和农业有关的人或者事呢？"琪琪有些好奇地问道。

"问得好！说起其他人，那就不得不提到马钧了。他对纺织和农田水利等机械的改进创新，是这一时期机械制造的新成就。他最突出的贡献是改进织机和发明（或改进）翻车。他把以前织绫用的笨拙而效率低的旧织机改造成操作简便、效率高的新织机。新绫机的推广应用，促进了丝织业的发展。他所制造的翻车是以东汉毕岚的翻车为借鉴，创造出农业排灌的龙骨水车，迅速得到推广。在近代水泵发明之前，翻车是最先进的提水工具之一。"爸爸起身，放下《齐民要术》，"好啦，今天就到这里啦，等以后有空，爸爸带你去看看龙骨水车长什么样。"

《洛阳伽蓝记》和《水经注》里藏着古代城市的秘密和河流的故事

黄河地学里程碑

爸爸在书房里整理这段时间和琪琪一起看过的书，把魏晋时期相关的书全放在桌子上。琪琪走进书房时顺手拿起一本，看了看书名，是《洛阳伽蓝记》。又是一本没有看过的书，琪琪不自觉地翻开了书。他发现书里有不少历史故事和神怪传闻记述，写得生动具体，形象鲜明。只是其中还提到许多殿堂屋宇的形制规模和建立寺庙始末兴废，让琪琪难以理解。

爸爸看见琪琪正专注地看着一本书，看了一眼，发现是《洛阳伽蓝记》，便坐在了椅子上。琪琪合上书，将书递了过去："爸爸，这本书到底讲了什么呀？我怎么看不懂！"

"这本书，是一部集历史、地理、佛教、文学于一身的名著，是南北朝时期杨衒之撰写的。伽蓝指的是佛寺，书中历数北魏洛阳城的伽蓝，分城内、城东、城西、城南、城北五卷叙述，对寺院的缘起变迁、庙宇的建制规模，以及与之有关的名人轶事、奇谈异闻都翔实记载。琪琪，你听过周杰伦的《烟花易冷》吗？"爸爸说完，问了琪琪一个问题。

琪琪赶紧点头："听过的，听过的！"爸爸接着讲道，"《烟花易冷》便是以《洛阳伽蓝记》中盛极繁华后倾塌颓圮的洛阳为背景创作的。《洛阳伽蓝记》作于北魏灭亡，东西魏分裂（534年）后，杨衒之借佛寺盛衰，

> **知识点**
>
> 《水经注》共40卷，记述的河流水道增加到1252条，注文20倍于《水经》原书，达30余万字，引用的文献470多种，还转录了不少碑刻资料，是一部颇具匠心之作。该书还记录了不少碑刻墨迹和渔歌民谣，语言清丽，具有较高的文学价值。由于书中所引用的大量文献有很多散失了，所以《水经注》保存了许多资料，对研究中国古代的历史、地理有很大的参考价值。

反映国家兴亡，其中既寄托了对故国的哀思，又寓含着治乱训鉴。史学家评价这本书'缀拾旧闻掌故，详述京城地理，正《魏书》之曲笔，补史志之阙失'。"爸爸说完起身，从书架上拿下来另一本书，"和《洛阳伽蓝记》同时期的还有一本书，这两本书被认为是北朝文学的双璧。"

琪琪看见爸爸拿下来一本书，好奇地探过头："是《水经注》呀。听上去像一本名叫《水经》的书的注解。"

"琪琪说对了。"爸爸接着琪琪的话说道，"《水经注》因注《水经》而得名，看似为《水经》之注，实则以《水经》为纲，详细记载了1000多条大小河流及与之相关的历史遗迹、人物掌故、神话传说等，是中国古代最全面、最系统的综合性地理著作，共有四十卷，作者是北魏晚期郦道元。"

"哇，1000多条河，这么多吗？我从出生到现在连100条河都没见过呢！"琪琪对《水经注》中记载了1000多条河十分惊叹。

"是呀，别说你了，连爸爸都没见过1000多条河。"爸爸笑眯眯地抱起琪琪，"郦道元自幼好学，博览群书，先后在今山西、河南一些地方任地方官，对当地的地理情况进行了实地考察和详细记录，他爱好游览，足迹遍及山东、河北、安徽、江苏、内蒙古等地，每到一地，都留心勘察水流地势，探溯源头，还阅读了大量地理著作，积累了丰富的地理知识。他认为，地理现象是不断发展变化的，经过历代的更迭，城邑的兴衰，河道的变迁和山川名称的更易，地理著作必须不断充实完善，便博览群书，把历史上的地理变迁尽可能地记下来。"

"好啦，时间差不多了，今天我们要出去吃饭，现在可以出发啦！"爸爸放下琪琪，起身将桌上的《洛阳伽蓝记》和《水经注》放好，转身牵上琪琪的手离开了书房。

小小地理家的话

在高科技发展的今天，阅读《洛阳伽蓝记》和《水经注》这两部古代著作也具有现实意义。

《洛阳伽蓝记》，不仅能让人了解当时洛阳各大寺院的来历、规模、建制以及奇谈怪闻乃至四十余年的兴衰史，还能令人一窥北魏王朝的政治经济、风土人情和历史掌故等各个方面，提升文学和史学修养。

而《水经注》几近于一部古代社会的百科全书，它涉及的专业领域极为广泛，从园林、地理到天文、气象，包罗万象，而且还涵盖许多的历史和文学知识，读之可让人提高眼界、拓宽知识面。

后记

从提笔到付梓，这位名叫琪琪的小男孩和爸爸已然在无数次的策划会中、键盘声中有了越来越清晰的轮廓，他和我们的读者一起探寻不同的学科领域，感受不同的学术氛围。回顾琪琪和爸爸走过的每一处知识王国，每一册图书的正式出版，背后都少不了认真付出的学者与编辑。我们回顾过往，感谢每一位创作者的付出和希望出版社编辑的辛勤耕耘。

感谢该系列丛书的主编许强教授，他立足于我国黄河和黄土高原的保护治理之千秋大计，和读者们一起探寻黄河上中下游自然景观、历史沉淀、文明传承、环境保护以及绿色发展的点点滴滴。此外亦要感谢该系列丛书的课题支持：国家自然科学基金重大项目课题（课题编号：41790445）；四川省社科规划普及项目（课题编号：SC20KP021）。同时，丛书也是成都理工大学的国家自然资源科普基地、四川省科普基地和四川省社科普及基地团队合作的成果。

琪琪的故事还在未完待续中，期待您和这个小男孩一起，解锁不同知识殿堂的更多可能。